U0262560

中国传统建筑装饰艺术

屋顶艺术

楼庆西 著

中国建筑工业出版社

图书在版编目（CIP）数据

屋顶艺术／楼庆西著. —北京：中国建筑工业出版社，2009
（中国传统建筑装饰艺术）
ISBN 978-7-112-10554-0

Ⅰ. 屋… Ⅱ. 楼… Ⅲ. 屋顶－古建筑－建筑装饰－建筑艺术－中国 Ⅳ. TU231

中国版本图书馆CIP数据核字（2008）第197165号

策　　划：张惠珍　楼庆西　黄汉民

责任编辑：张振光　费海玲

装帧设计：朱　锷

设计制作：李　婷（朱锷设计事务所）

责任校对：李志立　梁珊珊

中国传统建筑装饰艺术

屋顶艺术

楼庆西　著

*

中国建筑工业出版社出版、发行（北京西郊百万庄）

各地新华书店、建筑书店经销

北京画中画印刷有限公司印刷

*

开本：880×1230毫米　1／16　印张：10　字数：244千字

2009年6月第一版　2009年6月第一次印刷

印数：1—3000册　定价：68.00元

ISBN 978-7-112-10554-0

（17479）

目录

概说

古今中外的建筑，除了纪念碑、纪念塔等特殊的类型之外，都是有实用功能的构筑物，都是由屋顶、屋身和地面围合成为空间供人们使用。其中的屋顶既有挡雨雪、遮日光的物质功能，又位于整幢建筑的上方，形象十分突出，所以历来都被建造得既坚固又美观，从而成为建筑很重要的一个部分。

翻开世界建筑发展史，展示在我们面前的是各个地区、各个时代、各种类型的建筑，它们以不同形象和富有特征的屋顶组成为一卷多彩的历史画卷。

公元前5世纪，古希腊的雅典城成为航海业、手工业和商业的中心，城市建筑有了很大的发展，出现了议事厅、商场、旅馆、剧场、画廊、作坊、体育场等多种类型的公共建筑，城市中央的雅典卫城更成为纪念性建筑的集中地，其中的帕提农神庙又是卫城的中心。神庙内供奉着雅典守护神雅典娜女神的雕像，神庙四周立着白色大理石的柱子，上面覆盖着两面坡的人字形屋顶。屋顶东西两面山花上布满雕刻，分别雕着雅典娜诞生和女神与波塞顿争夺对雅典保护权的故事。这些雕刻不但构图巧妙，雕工精美，而且外面还敷有红色、蓝色的色彩，连同山墙顶尖上金色的装饰和山花下同样是彩色的陇间板组成绚丽的神庙屋顶。每逢祭礼大典，游行人群登上山地上的卫城，行进在一座又一座庙宇和雕像之间，最后来到帕提农神庙前。庙外是洁白的台基、柱廊和五彩闪金的屋顶，庙内是由宝石、象牙与黄金做成的雅典娜神像，群众载歌载舞，达到了欢乐的高潮。帕提农神庙始建于公元前447年，完工于公元前438年，至公元前431年完成雕刻，神庙建筑花了9年，而屋顶山花等处的雕刻也花了7年，它以完美绚丽的形象成为世界建筑发展史上最著名的经典建筑之一。

图1 希腊雅典帕提农神庙立面复原图

图2 帕提农神庙屋顶局部复原图

公元1-3世纪是古罗马建筑繁荣时期，全国各地都在建造各种类型的建筑，罗马城更成为建筑活动的中心。早在公元前2世纪，用石料发券的技术就在罗马得到较广泛的应用，当罗马人发现用火山灰加石灰和碎石可以制出一种既坚固又不透水的新建筑材料后，由于它具有原料采集和运输都比石料廉价而方便，重量轻，施工方便等优点，因而很快就被应用在实际工程之中，除了用它填充石造基础、墙壁的空隙，还将它与屋顶的砖石发券相结合，创造了混凝土拱和圆拱形穹顶的屋顶形式。这种屋顶由于用石或砖发券作为骨架，在纵横骨架间填以混凝土，不但重量轻，施工方便，而且使屋顶的跨度大大增加，从而创造出了更大的室内空间和更为宏伟的建筑形象。这类圆拱顶建筑最重要的代表就是罗马城中的万神庙。万神庙建于120-124年，平面为圆形，上面覆盖着圆形的穹顶，穹顶直径达43.3米，穹顶至地面的高度也是43.3米。穹顶中央开有一个直径达8.9米的圆洞。神庙四周都是用混凝土浇筑成的墙体，墙上除有一座大门之外，没有其他的窗户，巨大的室内完全靠穹顶的圆洞采光，天光从圆洞中射入，照亮着用大理石贴铺的墙体和地面，显出一种既宁静又神圣的宗教气氛。在古罗马，圆形的穹顶象征着天宇，而穹顶中央的圆洞象征着人的世界与神的世界的相通。万神庙以其43.3米的大跨度成为古罗马穹顶建筑的代表。

这种混凝土的穹顶技术在意大利不断地得到实际应用和完善。14、15世纪，意大利进入文艺复兴时期，位于佛罗伦萨城的主教堂正是文艺复兴初期具有代表性的建筑，它作为当时共和政体的象征具有纪念碑的意义，因而十分注意主教堂形象的塑造。十字形平面，中心歌坛呈八角形，对边宽42.2米，外墙高超过50米，最后要在这么高的外墙之上，在八角形歌坛

图3 意大利罗马万神庙室内穹顶

图4 万神庙室内穹顶仰视

上空覆盖一座突出的穹顶，这在当时可以说是一项技术难度超过以往的空前工程，经过多轮方案，最后工程落入伯鲁涅列斯基（Fillipo Brunelleschi）之手，他是一位著名的工艺家与雕刻家，具有实践经验，精通机械与铸工。他经过精心设计，于1426年动手建造穹顶，经过11年到1431年完成穹顶，接着又在穹顶之上建造采光亭，在这座亭子将近完工时去世。采光亭最后在1470年才最后完工。这座八角形的穹顶工程的难度确是空前的：穹顶架在50余米高的墙体上，为了突出

穹顶的形象，又在墙体上砌造了12米高的一段鼓座，也就是说，穹顶的建造首先要从地面上搭起高达60多米的施工脚手架，要把一块块沉重的石料和无数的砖、灰土提送到这样的高度；穹顶跨度达42.2米，穹顶分里外两层，中间是空的，里面建有通往采光亭的楼梯；穹顶用石料和砖做骨架，里层厚达2.13米，外层下部厚78.6厘米，上部厚61厘米，意大利的工匠发挥了他们全部的聪明才智，经过数十年的努力，终于建成了这座穹顶。自采光亭至地面总高107米，使主教堂耸立于四周建筑之中，成为佛罗伦萨整座城市的中心，被认为是意大利文艺复兴建筑的第一件成功作品。

有了成功的开始，必然激励着后来者，建于16世纪的罗马圣彼得大教堂是又一座意大利文艺复兴时期的代表性建筑，值得注意的是这座大教堂最成功之处也在于有一座高耸而突出的圆穹顶。当时，掌握权力的教廷要将这座教堂建成教皇国统一的象征，要超过罗马城的万神庙。教堂的设计也是多次变动，从1505年选中方案，1506年动工，直至1547年教皇选中著名

图5 意大利佛罗伦萨主教堂远视

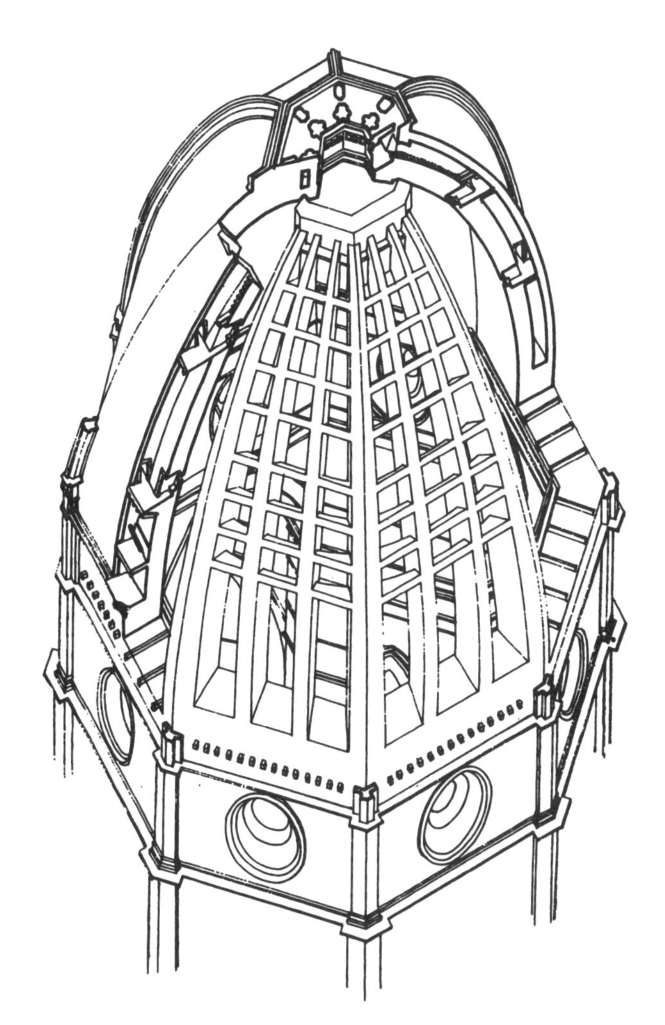

图6 佛罗伦萨主教堂穹顶结构图

艺术家米开朗琪罗主持工程，他决心"要使古代希腊和罗马建筑黯然失色"，并得到教皇允许他有权决定设计，有权拆去已经建成部分的许诺，全身心地投入了这座大教堂的工程。他把教堂的平面设计得更为集中，加大了处于中心位置的四个墩子，以便支撑住上面巨大的穹顶。穹顶直径41.9米，虽然略小于万神庙穹顶的直径（43.3米），但穹顶内部顶点至地面高达123.4米，相当于万神庙的高度几乎三倍，等于把一座万神庙高高举起在80米高的台座之上。米开朗琪罗主持这项工作直至1564年去世，他将自己生命的最后14年全部投入到这座教堂的建设。圣彼得大教堂终

于建成，从宏伟的穹顶外部十字架尖顶至地面高达137.8米，是整座罗马古城的最高点，遗憾的是米开朗琪罗没能看到穹顶的完工，但他所设计并主持建造的这座教堂的确成了意大利文艺复兴后期具有代表性的杰作。佛罗伦萨主教堂和罗马圣彼得大教堂分别代表了意大利文艺复兴初期和末期具有经典性的两座建筑物，有意思的是它们都同样用耸立的圆形穹顶构筑出各具特色的宏伟形象。

分布于法国、德国、意大利等国的哥特式教堂在欧洲中世纪（4-13世纪）建筑中占有重要地位。哥特式教堂的特征十分鲜明：首先在结构上采用骨架券作拱

图7 意大利罗马圣彼得大教堂

(1)

(2)

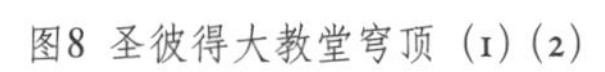

图8 圣彼得大教堂穹顶（1）(2)

图9 圣彼得大教堂穹顶内景

顶的承重构件，在拱券之外的非承重部分可以减薄或用其他填充材料，因而大大减轻了屋顶的重量，同时也可以使承受屋顶的立柱变细变小。其次这种骨架券采用了尖券和尖拱的形式，因而又减小了券脚向外侧的推力。第三，采用独立的飞券（又称飞扶壁）承受拱顶的外侧推力，飞券越过教堂的侧廊而落在外侧的墙垛上，这样可以使教堂两侧的外墙不承受券脚的外推力而能够大面积地开窗。这种新结构使哥特式教堂的内部空间和外部形象都发生了变化，为新的艺术创造提供了可能。在这些教堂的内部，可以见到排列成行的细高形的柱子，柱子的顶端架设着尖形的拱券，

很像是在树干上向四面生长出的树枝，正是这些树枝组成拱形的屋顶。教堂两侧墙上开着成排的窗，窗也是狭长形的，窗户上镶嵌着彩色玻璃，窗户上面也用的是尖形发券，所以整个空间充满着向上的动态，阳光从窗户上投射进来变成五彩缤纷的光彩洒照在神坛上，使教堂充满神圣。在这些教堂的外形上，成排专门承受飞券推力的墙墩为了加强承受力，多在顶端加建小塔，小塔顶上都有尖尖的塔刹，加上教堂外墙上的发券窗户，门窗之间的墙体上也充满着细长的线角，由墙脚直至屋顶，它们与屋顶组为一体，具有直冲苍天的动感。这种飞腾的动态充满在教堂的里里外外，体现着人们对天上神国的崇敬与向往。

图10 法国巴黎圣母院（哥特式）外景

图11 巴黎圣母院内景

图12 巴黎圣母院玻璃窗

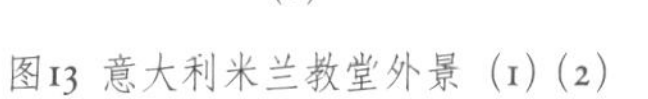

(1) (2)

图13 意大利米兰教堂外景（1）（2）

中世纪的阿拉伯国家广泛信奉伊斯兰教，在中亚、伊朗和阿塞拜疆这些经济比较发达，建筑发展比较完备的地区，把重要的宫殿、伊斯兰教堂和陵墓都当作城市的纪念性建筑，把它们都建造得特别讲究。在对这些建筑外形的塑造中，应用当地传统的穹顶成为重要的手段。无论宫殿、教堂或者陵墓都在它们的中心部分应用高耸的穹顶覆盖，这些穹顶的外形由初期的缓和曲线而发展为由尖券组成中央带尖的穹顶，后来在砖、石结构的穹顶之外加用木构架构成一种曲面外凸，整体造型更为饱和的穹顶。在一些重要的建筑上，它们的穹顶里面和外面都有绚丽的装饰。在穹顶的外部表面多用彩色的陶瓷锦砖组成花饰，蓝色的、绿色的、褐石色的陶瓷锦砖拼出各种植物、几何形纹样和阿拉伯文字，把这些纹样组合在一起，中间装饰着闪光的金色条纹，使硕大的穹顶显得异常华丽，充分表现出伊斯兰建筑艺术的特有魅力。

这种屋顶艺术在俄罗斯东正教教堂上表现得更为充分。莫斯科的克里姆林宫宫墙内有多座不同时期的古教堂，这些教堂多喜欢用高耸的穹顶来突出地表现自己

图14 拜占庭建筑穹顶加木构架图

图15 伊朗伊斯法罕清真寺

图16 清真寺穹顶

图17 清真寺穹顶瓷砖装饰

图18 印度泰姬玛哈陵

的形象，这类穹顶具有向外鼓出的曲面和尖尖的穹顶，顶端立着十字架，所以称它们为葱头形的穹顶。这些穹顶有的从曲面到顶尖和十字架满涂金色；有的将曲面涂成蓝色、绿色，它们耸立在高起的鼓座上，构成一组组穹顶的群体，具有极强的艺术表现力。

在克里姆林宫宫墙外还有一座更为重要的华西里·伯拉仁内教堂，这座建于1555-1560年的教堂是为庆贺俄罗斯人打败蒙古人的侵略取得胜利而专门建造的。它是由九座立墩式的教堂组合而成的一个整体，其中处于中心位置的教堂头戴尖塔式的屋顶，而围在它四周的八座小教堂都覆盖着葱头形的穹顶，小教堂穹顶的外貌和大小都近似，但表面的处理各不相同。有的呈螺旋形，有的装饰着波浪形条纹，或者突起的尖锥；在色彩上有红白相间的，黄黑或者红黑相间的。这些形态、大小、装饰各不相同的穹顶组合在一起如同一束盛开的花朵，把整座教堂打扮得绚丽而且喧哗，充分表现出整个民族取得胜利的欢乐。这些在克里姆林宫里里外外的众多教堂，正因为有了这些奇特美丽的屋顶，极大地丰富了莫斯科的城市形象，组成这座古老城市一道明亮而极富特色的景观。

这种建筑屋顶形象的塑造当然不只表现在宗教建

图19 俄罗斯莫斯科克里姆林宫墙内东正教堂屋顶

图20 东正教堂屋顶近观

图21 莫斯科华西里·伯拉仁内教堂

筑的教堂上，在古代的宫室、陵墓、府邸、商楼甚至一般的民间住宅上都能够看到这种创作。在英国伦敦的议会大厦可以见到哥特式的石筑屋顶；在俄罗斯乡村小镇的民间教堂上会看到莫斯科教堂那种葱头形特殊穹顶的雏形。在意大利、瑞士、法国等欧洲国家，我们更能看到城乡各地的古老而普通的民宅。这类民间住屋多采用木结构，木柱子、木梁枋组成框架，在框架间填以砖石。这种木框架没有固定的形式，随房屋的大小和布局而定。由于城市人口的密集和用地的紧张，这类住屋都为多层楼房，屋顶很高，但是

图23 英国伦敦议会大厦

图22 俄罗斯乡间教堂

图24 伦敦议会大厦钟楼近景

图25 法国小城镇住宅

图26 瑞士乡间住宅

在顶部都建有房间以充分利用其空间，所以屋顶上多设有突出的窗户或者挑出屋面的阁楼。这种从上至下露明的木框架，高耸的大屋顶和屋顶上挑出的窗台与阁楼，构成这些地区特有的一种建筑风格。在这里，屋顶虽然占据了房屋高度的大部分，有的几近三分之二，但由于有了木框架纵横的分割，有了挑窗和阁楼的点缀，深色的框架间一块块白色的墙，不但不感到高大屋顶的沉重，反倒显出几分活泼与轻快。

当我们浏览了外国古建筑的一些屋顶形象之后，应该回到中国的土地来认识一下自己民族建筑的屋顶艺术。经过考古学家的发掘和研究，使我们知道，远在六七千年之前仰韶文化中期的黄河流域，古人已经建造了自己的住屋，这就是半穴居和地面上的方形或圆形的房屋。这些房屋都有用树木枝杆搭建起来的屋顶，但是由于没有实物留存下来，这类屋顶只能根据基坑画出一个想像图，还不能知道它们的具体结构形式。

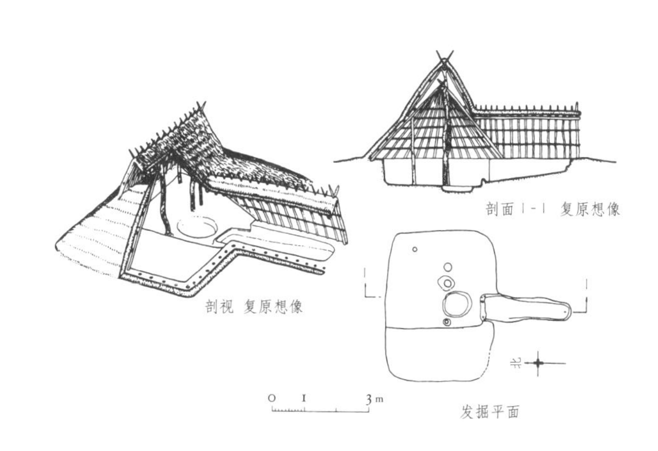

图27 陕西西安半坡村原始社会方形住房

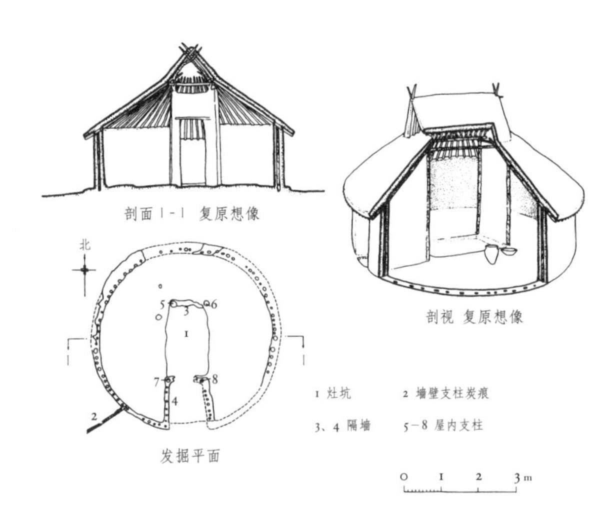

图28 半坡村原始社会圆形住房

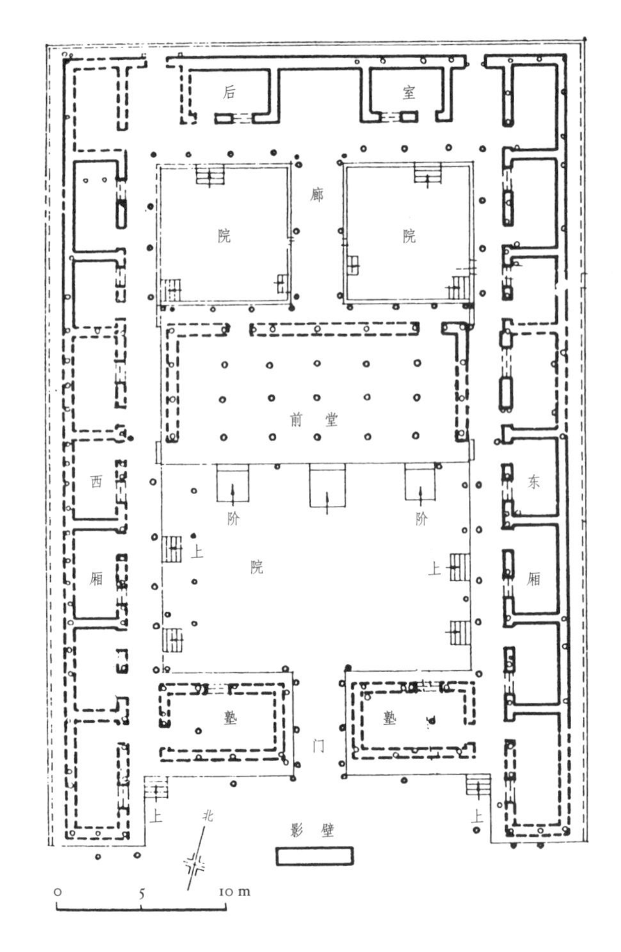

图29 陕西岐山凤雏村建筑遗址平面

西周时期（约公元前11世纪至公元前771年）留下的陕西岐山凤雏村建筑遗址让我们看到，当时的房屋平面呈长方形，它们前后左右组合成整齐的院落，而且房屋都有排列规整的柱子，正是由这些柱子支撑着房屋上面的屋顶，由此也可以推测出这些由木料搭建的屋顶结构应该有了固定的形式。汉代地下墓室中的明器和刻画在墓室砖、石上的房屋图画让我们认识了当时的房屋式样。房屋采用木结构，由木柱支撑着屋顶，屋顶的构架有的是抬梁式，有的是穿斗式，在木构架上面覆盖着瓦，形成完整的屋顶。房屋中段的屋身部分有的用墙体围护，有的只有柱子。房屋的下面为了减少地面的潮湿和雨水、积雪的侵蚀，都有一层不高的台基，把房屋的框架立在台基之上，从而形成一幢由屋顶、屋身、台基三部分组成的完整建筑。其中的屋顶为了便于清除落在屋面上的雨水和积雪，在多数地区都把屋面做成坡形，有的是人字形的两面坡，也有的呈四面坡，这种屋顶的形式一直延续至后代。从留存至今的大量古代建筑上可以看到，屋顶一做成坡形，体量必然增大，从而成为在房屋整体上占

图30 汉代明器两面坡屋顶房屋

图31 汉代画像砖画像石上的四面坡屋顶房屋

比重很大的部分。这种现象不仅表现在宫殿和寺庙的殿堂这些大型房屋身上，而且在园林的厅馆、楼阁、亭榭等一些小型建筑上也是这样。在北京紫禁城，一座作为明、清两代皇帝的中心宫殿太和殿，前后进深33.3米，因为采用了重檐屋顶，所以屋顶高度为殿身高的2.2倍；皇帝举行祭祀祈求丰年的北京天坛祈年殿，平面为圆形，直径并不大，但因采用了三重檐屋顶，所以屋顶之高竟达到殿身的3.2倍；山西农村一座普通的关帝庙正殿，屋顶高度也有屋身的1.18倍。在北京颐和园这座皇家园林里，昆明湖畔和西堤上分别建有知春亭、廓如亭和练桥、柳桥、豳风桥等多座桥亭，为了突出它们在湖上的形象，这些亭子的顶部多为亭身高度的1.3至1.5倍，其中体量最大的廓如亭更达到2倍。在农村一些小寺庙的钟、鼓楼，为了显示它们的地位，也把它们的顶部做得比较高大。至于农村的一般住宅，在山西、河北见到的单层住房，它们的屋顶与屋身高度基本相近。

自古以来，建筑都同时具有物质与精神的双重功能，建筑不但要提供人们生活、生产、工作、休息、娱乐等多方面的使用空间，同时又需要具备艺术性的形象，所以中外古今才将建筑与绘画、雕刻一起都归于艺术一类，只是建筑与绘画、雕刻在造型、艺术创作的方式、方法上并不完全相同。建筑既然有物质功能，因此它们的形象只能在不违背物质功能的前提下进行塑造，而不能像绘画与雕刻那样任凭艺术家随心

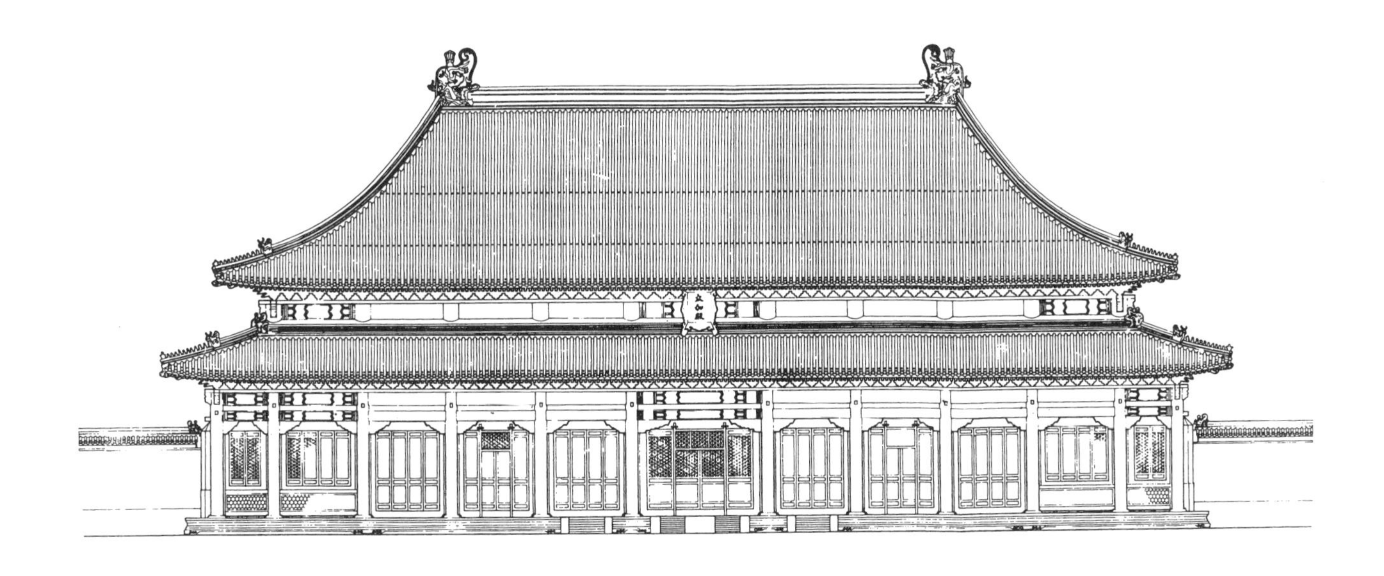

图32 北京紫禁城太和殿立面图

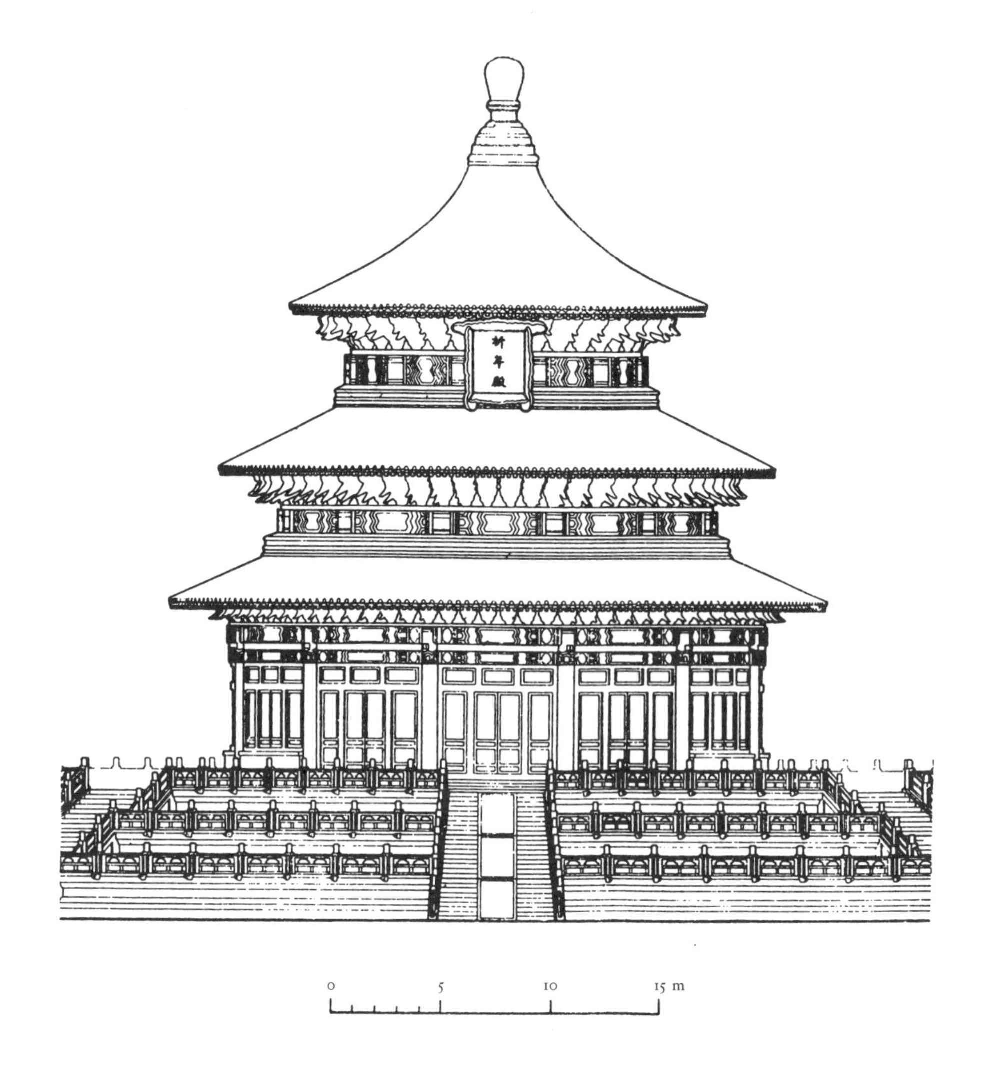

图33 北京天坛祈年殿立面图

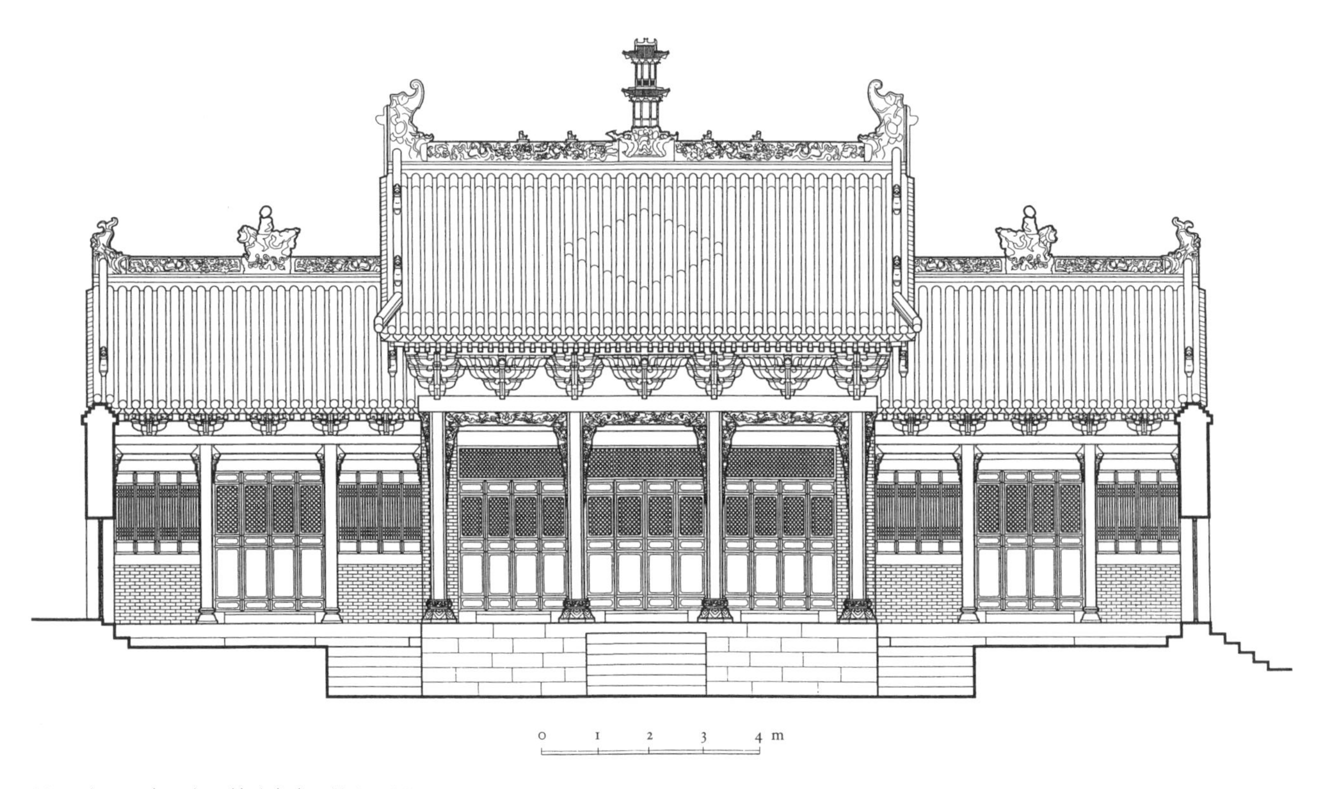

图34 山西沁水西文兴村关帝庙正殿立面图

图35 北京颐和园廓如亭

图36 颐和园知春亭立面

图37 河北农村真武庙钟楼立面

所欲地进行涂抹和捏制。因此建筑艺术形象的表现力也受到很大限制，它不可能像绘画、雕刻那样表现出人物、动物、植物等等具体的形象，也不能表现出具有情节性内容的场景，它只能依靠建筑群体所组成的空间环境，建筑个体不同的形象来表达出一种气氛与感受，使人们身处其中感到宏伟或者平和，喧哗或者宁静，舒畅或者压抑等等。也可以通过建筑的色彩，附设在建筑上的绘画、雕塑等装饰表达出一定的人文内涵。

中国古代建筑的屋顶既成为房屋整体中很重要的一个部分，那么这些屋顶也必然成为艺术加工不可忽视的重点。首先在屋顶整体形象塑造上，古人花费了很大的工夫。为了减少硕大屋顶造成的笨拙感，古人将屋顶的屋面由直面做成曲面，四周的屋檐由直线做成两头起翘的曲线，有的还把屋顶分解成上下左右几块进行组合。其次对屋顶上的构件也多进行了美的加工使之成为具有装饰性的部分。屋面铺设的瓦，处于最下端屋檐处的筒瓦当和仰瓦滴水都烧制出花纹；屋脊处用砖、瓦、琉璃拼出花饰；把几条屋脊交汇的节点做成各式动物与植物；将筒瓦上的钉帽加工成各种小兽；如此等等。经过这样的加工，硕大的笨拙的屋顶变轻巧了，屋顶上的普通构件变美观了，它们不但具有艺术的外观形象而且还有了不同的人文内涵。屋顶既是建筑不可缺少的部分，同时也成为具有神韵的部分。

综观以上中国和外国古代建筑的屋顶，我们可以看到一种现象，这就是在不同的地区，不同的时期，不同类型的建筑上，它们的屋顶也具有不相同的形式与风格。造成这种现象的原因是多方面的，这里既有不同的建筑材料、建筑结构的关系，也存在着各地在文化、技艺上有不同传统等等因素。

人类早期修建房屋，除了用天然石料搭建以外，大多数都用泥土与木料，所以至今还把房屋建造工程称为“土木工程”。尤其是屋顶部分多用木料搭造，随着实践经验的积累，木料由开始用原生态的树干、枝叶发展到对木料加工为木材而构成框架。泥土由天然泥土夯筑成墙与地面发展到将泥土烧制成砖、瓦用以造房。用砖的技术也由逐层堆砌而发展为发券成拱。在古代由木材可以搭建各种坡形屋顶和平屋顶，但是还造不出圆形的拱顶，但砖、石却可以用发券的技术筑造出穹形拱顶。随着人们发现了和掌握了用火山灰制成混凝土的技术，这种圆形拱屋顶才开始得到广泛的应用，于是在意大利罗马和佛罗伦萨等城市里，出现了一座座有高耸穹顶的神庙与教堂。这说明不同的建筑材料与相应的结构方式能够产生不同的建筑，包括建筑屋顶的形象。

欧洲哥特式教堂与古罗马教堂同样用的是砖石材料，但哥特式教堂创造了用尖拱券、飞扶壁的技术，从而大大改变了教堂内部和外部的形象，使它们的造型比罗马万神庙、圣彼得教堂更加高耸，更加富有升向“天国”的表现力。中国和欧洲的市民住房，同样都是采用木结构，同样用木柱，木梁构成框架，但它们用的是不同构架方式，中国的框架整齐划一，有固定的样式，而欧洲住房木框架形式灵活，没有一定之规，因而造成建筑包括屋顶外貌完全不同的形式。这说明同样的材料，用不同的结构方式也能够创造出不同的建筑和屋顶的形态。

在阿拉伯地区伊斯兰教国家的清真寺，和在俄罗斯信奉东正教地区的教堂都广泛地采用穹顶的形式，为了充分发挥这些穹顶的艺术作用，当地的工匠发挥创造性，在用砖券建造的穹顶之外，再用木料搭建出穹顶外突，造型更加丰满的穹顶。这种穹顶最初出现在民间的教堂上，后来广泛地使用在东正教堂上，因而形成一种特殊的“葱头”形穹顶，成为东正教堂极富表现力的一种标志。这种现象说明，即便是同样的材料，同样的结构方式，但由于各地区之间不同的文化传统与技艺传统，同样也会创造出不同的建筑和屋顶的形式。

有了以上的比较，我们再集中地注视中国本土的古代建筑和它们的屋顶，就可以更为敏锐地看到它们的特征，更清楚地认识它们的价值。

从硬山到庑殿

对建筑屋顶的加工主要表现在两方面，一是整体形象的塑造，二是细部的装饰。建筑形象的塑造不同于艺术品的雕琢，建筑形象首先决定于它们的物质功能，其次决定于它们所采用的材料与结构方式。一座供艺术演出的剧场和一座机场航站或火车站，它们具有完全不同的功能，因而它们的体量、外貌也不会相同；一座古代用木材或者用砖、石建造的建筑和近代用钢材、混凝土建造的即使是同一类型的房屋在形象上也会有很大的差别。如果对这些建筑进行形象上的塑造，只能在它们由物质功能和材料、结构决定的形体的基础上进行适当的加工从而达到美化的效果。建筑不能像艺术家创作雕塑那样用泥土、石料、木材进行随心所欲地塑造。建筑整体形象的塑造是这样，建筑的屋顶自然也是如此。

中国古代早期的建筑实物遗存到现在的为数甚少，我们只能从汉代墓室中的明器和画像砖、石上看到2000年以前的房屋形象。从当时屋顶的形式看，已经有了两面坡和四面坡的两种式样。从汉代以后的历代建筑实例中，可以看到常见的房屋屋顶有以下几种最基本的形式。

一、硬山：这是一种两面坡的屋顶。前后两面斜坡，在屋顶正中最高处相交成脊。屋顶左右两头是直立的墙，称为山墙，山墙直砌到顶与两面坡的屋顶相交，把屋顶木框架的檩子封包在墙内侧。这是屋顶中最常见的形式，在北京四合院住宅的砖房中多用硬山屋顶。

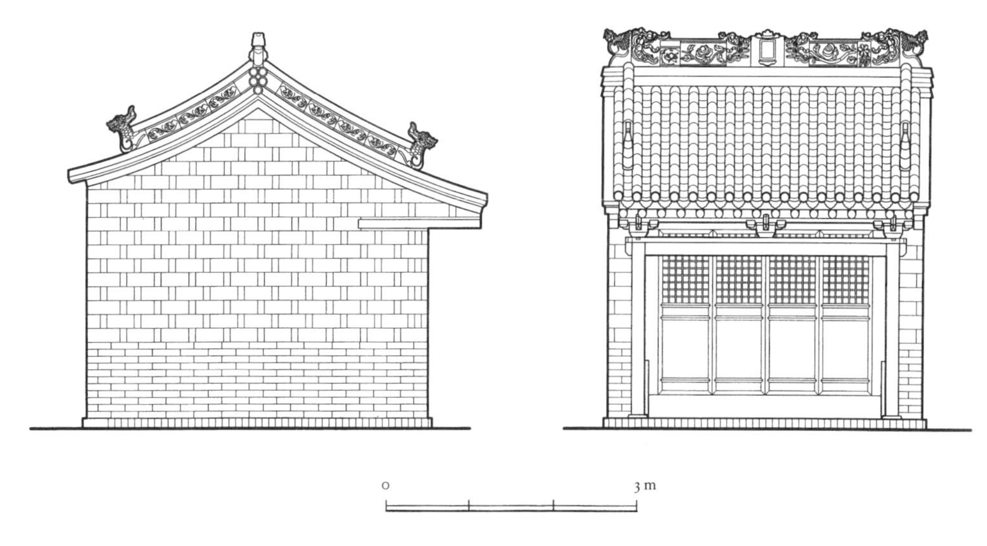

图38 硬山屋顶房屋的立面、侧面图

图39 云南大理住宅的硬山顶房屋

图40 悬山屋顶的大门图

二、悬山：也是前后两面坡，上面一条屋脊，左右是山墙砌到顶，但是与硬山不同的是，山墙与屋顶并不相连，而是屋顶两端挑出山墙之外，也就是屋顶木构架的上下几层檩子都延长而伸出山墙外悬在半空中，所以称为“悬山”。这也是普通房屋常用的屋顶形式。

三、庑殿：就是四面坡的屋顶。屋顶分作前后左右四面斜坡，前后两坡面相交而成正面的屋脊；左右两坡面与前后两坡面相交而成斜向的四条屋脊分列四角；所以屋顶上共有四个坡面，五条脊，因此庑殿顶也称“四阿顶”、“五脊殿”。

图41 悬山屋顶房屋的侧面

四、歇山：这种屋顶可分为上下两部分，上面为悬山式屋顶，下面是庑殿式屋顶，好像一座悬山屋顶套在庑殿顶之上，这样一套，使整座屋顶共有正面的一条“正脊”，两边的前后四条垂直方向的“垂脊”，四角斜向的四条“戗脊”，共计九条脊，所以又称为“九脊殿”。因为歇山屋顶构造比较复杂，它所形成的外貌形象也较为丰富。

在以上四种屋顶的形式中，硬山、悬山、歇山三种屋顶有用中央正脊和不用正脊的两种做法，后者称为“卷棚”顶。在歇山、庑殿两种屋顶中又有用一层

图42 浙江农村悬山屋顶住宅

图44 北京紫禁城重檐庑殿顶的皇极殿

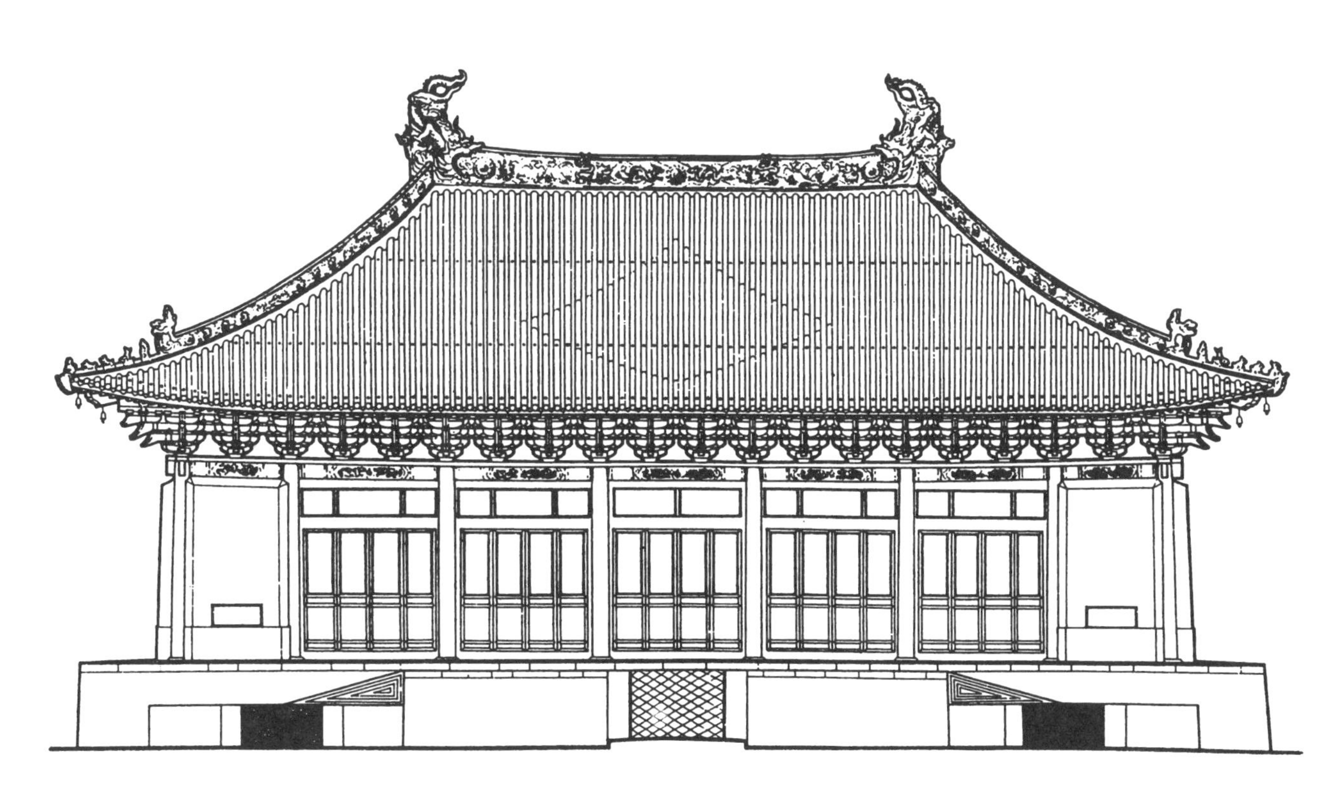

图43 山西永济县永乐宫庑殿顶的三清殿立面图

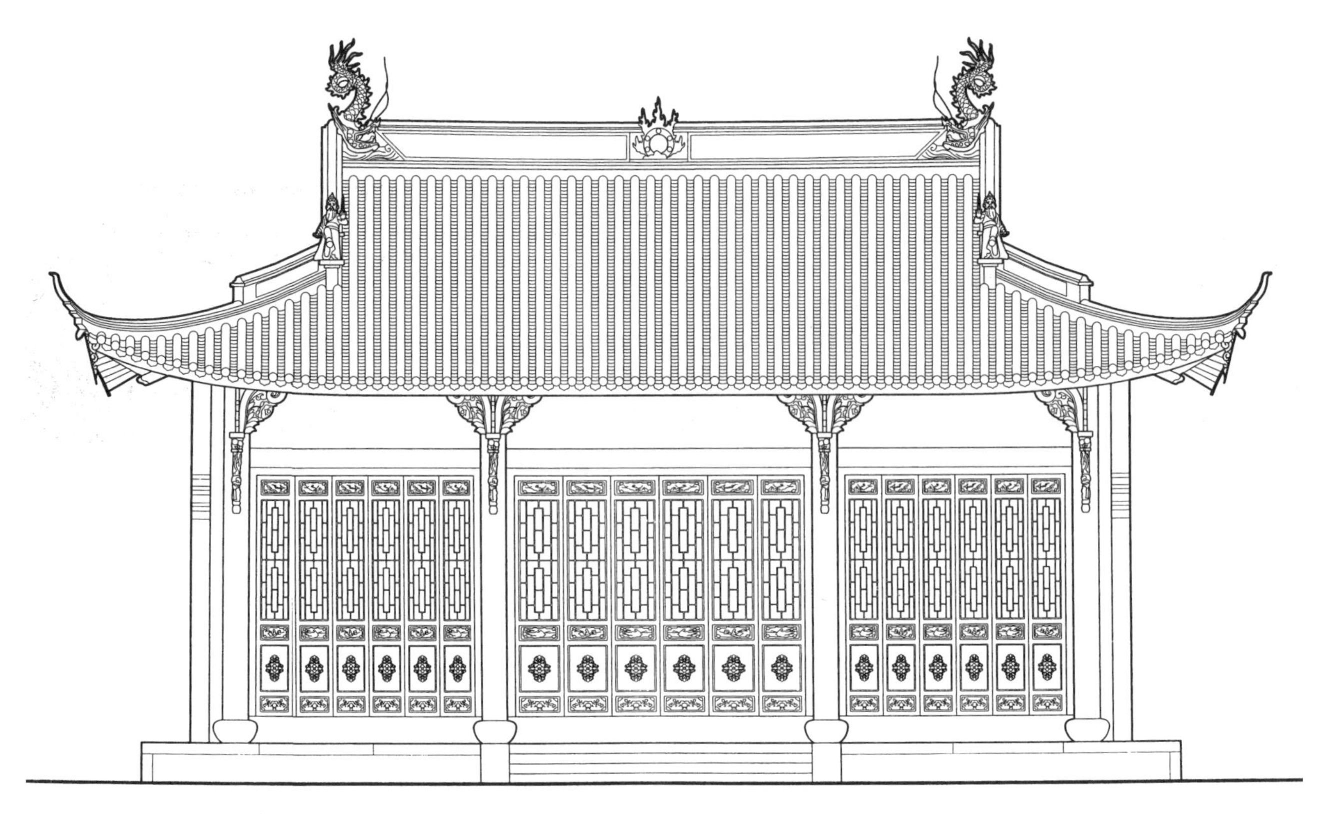

图45 浙江农村寺庙大殿歇山屋顶图

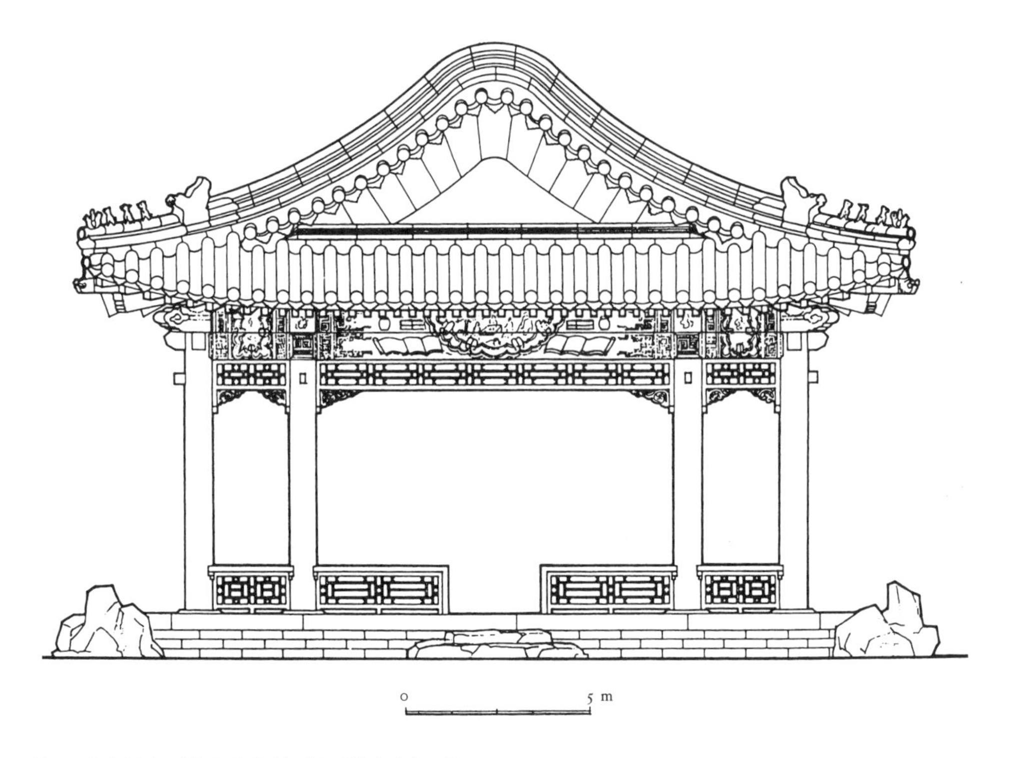

图46 北京颐和园湖山真意侧面图（歇山卷棚顶）

图47 北京紫禁城宫殿单檐和重檐歇山屋顶

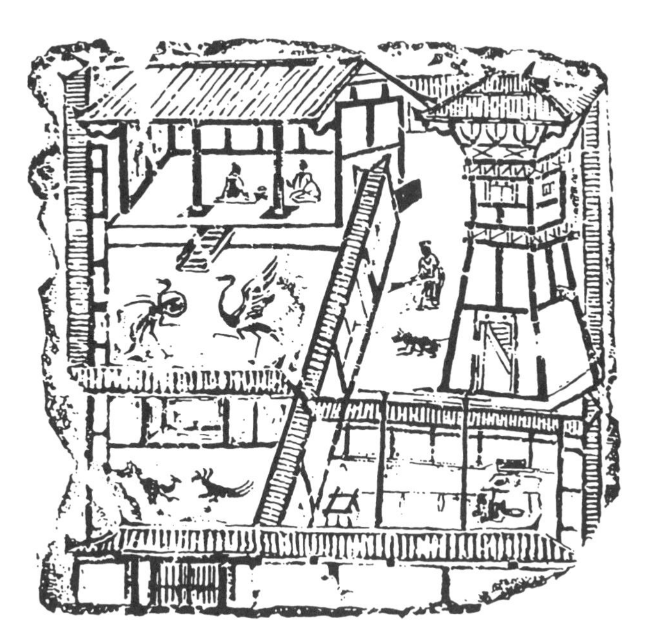

图48 汉代画像砖上的四合院住宅

屋檐和双重檐的不同做法，前者称“单檐”，后者称“重檐”。重檐屋顶结构比单檐的复杂，外形自然也比较丰富。

我们从大量古代建筑的实例中可以发现一种现象，凡是比较重要的建筑，如皇家建筑的殿堂、寺庙的殿阁，除了这些建筑的体量大之外，而且还多喜欢用庑殿和歇山式屋顶；而一般性建筑，包括宫殿、寺庙的侧屋，城市、乡间的大量住宅等则多用悬山和硬山式屋顶。这种现象在汉代明器和画像砖中就已经有显露。在一座四合院住宅的画像砖中，主人的住房用的是悬山屋顶，而住宅中高耸的望楼用的是四面坡屋顶。在众多明器中，凡住宅、猪圈多用两面坡的悬山顶，而几层高的楼阁多用四面坡的庑殿顶。一座由多座单体房屋组成的群体中，也是由两坡悬山屋顶的小屋簇围着中央四面坡庑殿顶的高屋。这种按屋顶形式区分建筑等级的现象在许多建筑群体中表现得十分鲜明。

作为明、清两代皇宫的北京紫禁城可以说是体现封建礼制最严格的宫殿建筑群了，这里的殿堂和一层又一层的宫院门都是按它们的重要程度而分等级的，

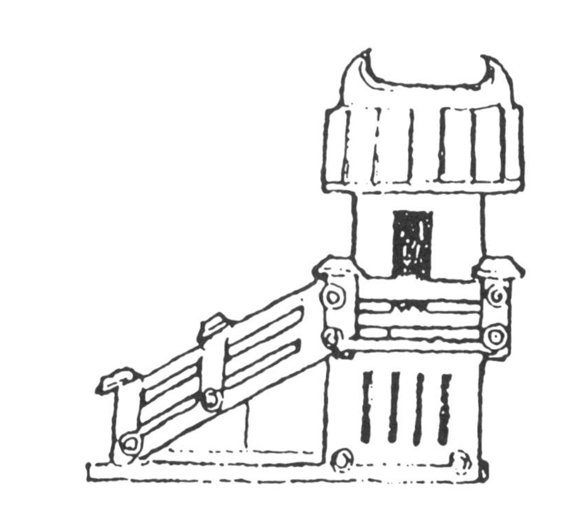

图49 汉代明器中的猪圈

图50 汉代明器中的住宅

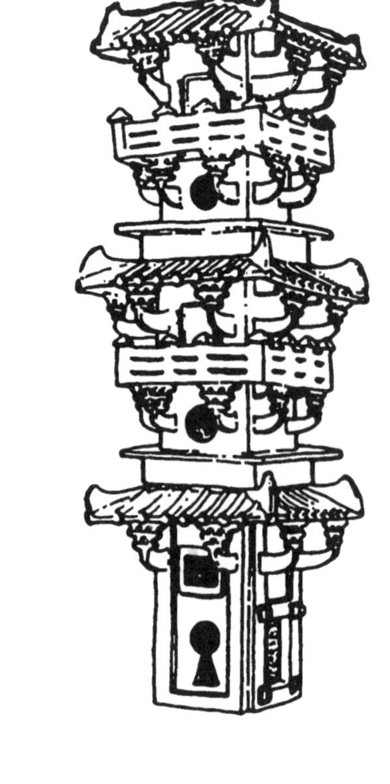

图51 汉代明器中的望楼

这种等级不但表现在这些殿堂、大门的大小体量、装饰程度上，同时也表现在这些建筑的屋顶形式上。紫禁城的大门午门，和举行朝廷最重大礼仪的太和殿，皇帝、皇后的居室乾清宫这些最重要的大殿都用的是重檐庑殿顶；宫城之外的皇城大门天安门、前朝三大殿的大门太和门、皇帝举行御试、宴请文武百官的保和殿比起午门、太和殿地位略低一等，用的是重檐歇山顶。前朝三大殿群体的侧门、后宫部分的大门乾清门、清乾隆皇帝退位后当太上皇时使用的宁寿宫的宁寿门都用的是单檐歇山顶。再以下，前朝、后宫四周的廊房，紫禁城内大量服务性

图54 紫禁城乾清宫

图52 北京紫禁城午门

图55 北京天安门

图53 紫禁城太和殿

图56 紫禁城太和门

图57 紫禁城保和殿

图58 紫禁城乾清门

(1)

(2)

图59 紫禁城的硬山顶建筑（1）（2）

用房则用悬山和硬山屋顶。

皇家园林颐和园中最重要的建筑群排云殿位居于万寿山前山的中央，面临昆明湖，依山势而建，显示出一派皇家园林的气势。在这组建筑群中，中央的排云殿用的是重檐歇山屋顶；在它前面的排云门、二宫门和两边的侧殿用的是单檐歇山屋顶；而在建筑群前沿的廊房用悬山屋顶，两侧的灰瓦顶厢房用硬山屋顶。从高处俯视，这种不同等级的屋顶的确也增添了这组建筑群体的艺术表现力。在山西农村的一座关帝庙里也会看到这种屋顶的用法。庙

图60 北京颐和园万寿山排云殿建筑群

的正殿用的是悬山屋顶，顶上还用了琉璃瓦，正脊上有琉璃装饰，而紧靠在正殿两侧的配殿用硬山屋顶，很匀称地在两旁烘托着正殿。大量古建筑实例告诉我们，屋顶的形式已经成为表现建筑等级的一种标志，重檐庑殿、重檐歇山、单檐庑殿、单檐歇山、悬山、硬山已经组成了建筑高低的等级，尽管这种等级在典章制度中没有明确的记载，但是在实践中它们已经成为一种无形的规矩。

在各类古建筑的实例中当然绝不止只有以上四种形式的屋顶，常见的还有下面的几种。

一是攒尖顶。这种屋顶适用于平面呈正方、正圆或正多边形的建筑，它们的屋顶采用多面坡形，各个坡面由四周向中心举高，成为最高处的一个尖端，所以称为“攒尖”顶（攒：积聚意）。这种屋顶多用在四方、圆形或多角形的亭子上，常出现在园林里，但是它有时也用在大型殿、阁的顶上，例如沈阳故宫的大政殿就是八角形的，大殿上面用重檐的八角攒尖屋顶；北京紫禁城前朝三大殿之一的中和殿和后宫三宫

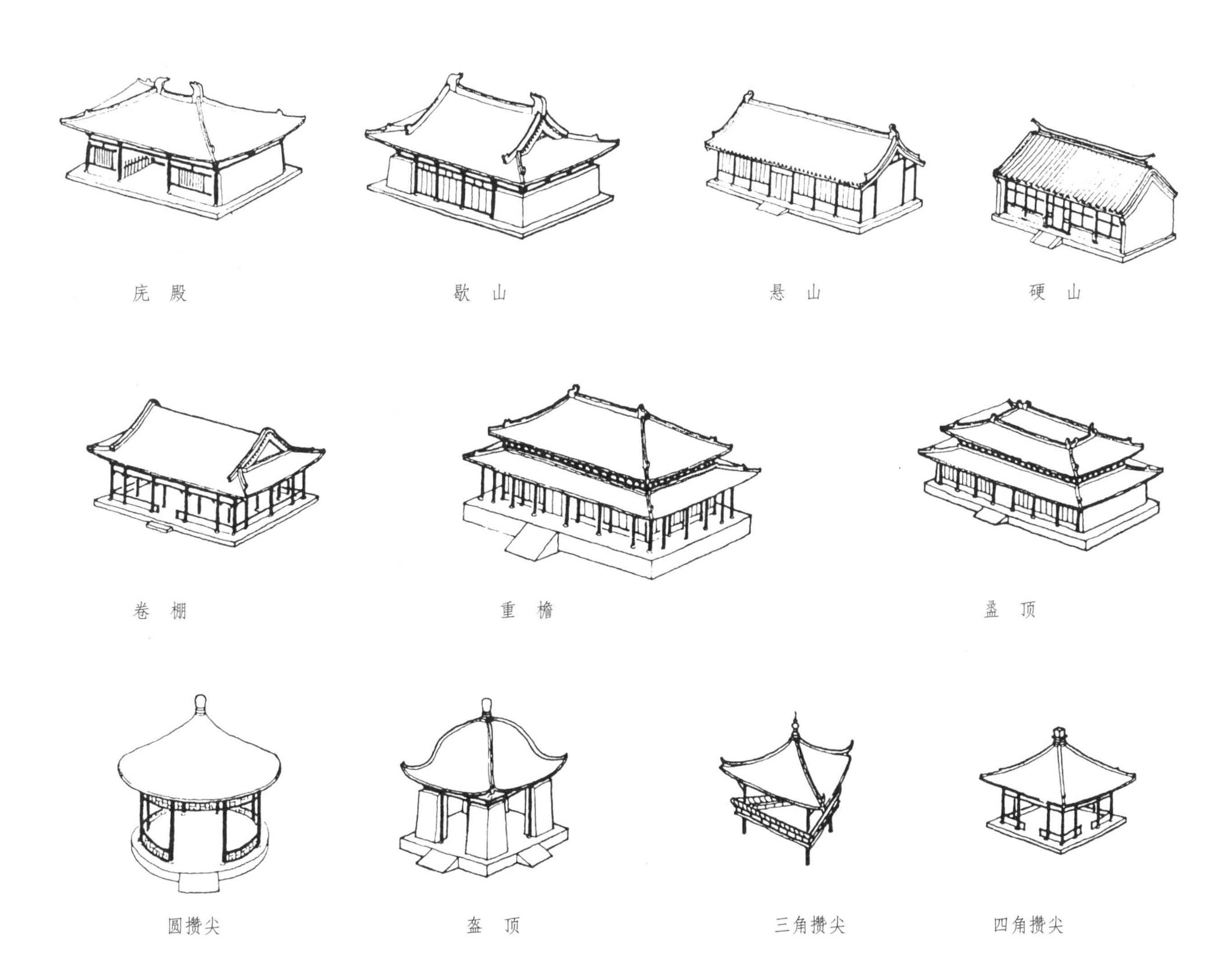

图61 屋顶形式图

图62 颐和园画中游八角攒尖顶

图63 沈阳故宫大政殿攒尖顶

图64 紫禁城中和殿

图65 河北承德普陀宗乘之庙佛殿攒尖顶

中的交泰殿都是四方形大殿上用攒尖顶。

二是平顶，这种屋顶多用在气候干旱少雨雪的地区建筑上，例如西北的陕西、西南的西藏等地区，这些建筑也是木结构，只是屋顶不做成三角坡形而呈平面或者平缓的弧形，也称为囤顶。这样的平屋顶不用铺瓦，而是用泥土一层层铺垫压实，起到防雨雪的作用。还可以见到一种屋顶是在四面坡的屋顶上做成局部的平顶，好似用刀将四坡顶的上半部水平切为平顶，称为“盝顶”。这种盝顶远处看为平顶，近处看只见它四面皆有出檐，又像四面坡的庑殿顶。

三是圆拱顶，由于中国古建筑用木结构框架，所以圆形拱顶很少。在新疆地区的清真寺，伊斯兰教陵墓可以见到用砖拱结构建造的这类穹形屋顶。除此以外，在内蒙古和新疆以游牧为业的地区，牧民住的毡包，也是一种圆拱形穹顶，不过它们不是用砖筑，而是用木料做骨架，在外面包以羊毛毡而成。

四是发券式拱形屋顶，流行于西北地区的黄土地带。其中大量的窑洞住宅适用于西北干燥少雨地区，在黄土高坡崖壁上挖窑洞而成为既经济又实用的住房，这类窑洞的顶部皆为半圆的拱形。在山西地区，由于缺少木料，在地面建房也用砖发券做成屋顶，外貌很像窑洞，当地称为“锢窑”。这种锢窑的屋顶呈

(1)

(2)

图66 新疆喀什哈斯哈吉甫陵（1）（2）

图67 内蒙古草原毡包

图68 毡包圆拱顶内景

图69 新疆草原毡包

图70 土窑洞

图71 土窑洞内景

图72 山西临县西湾村锢窑住房

半圆拱形，一排并列的锢窑，它们的屋顶组成连续呈波浪状的券形。有的在这些券形顶上填以黄土夯实就变成平顶的窑洞房了。

同样用木框架做屋顶，可以做出硬山、悬山、歇山、庑殿、攒尖等等多种不同的形状，加上平屋顶和砖与黄土建成的穹顶、券顶，毡包圆顶，它们在古代建筑的园地里组成为屋顶的系列，极大地增强了建筑艺术的表现力。

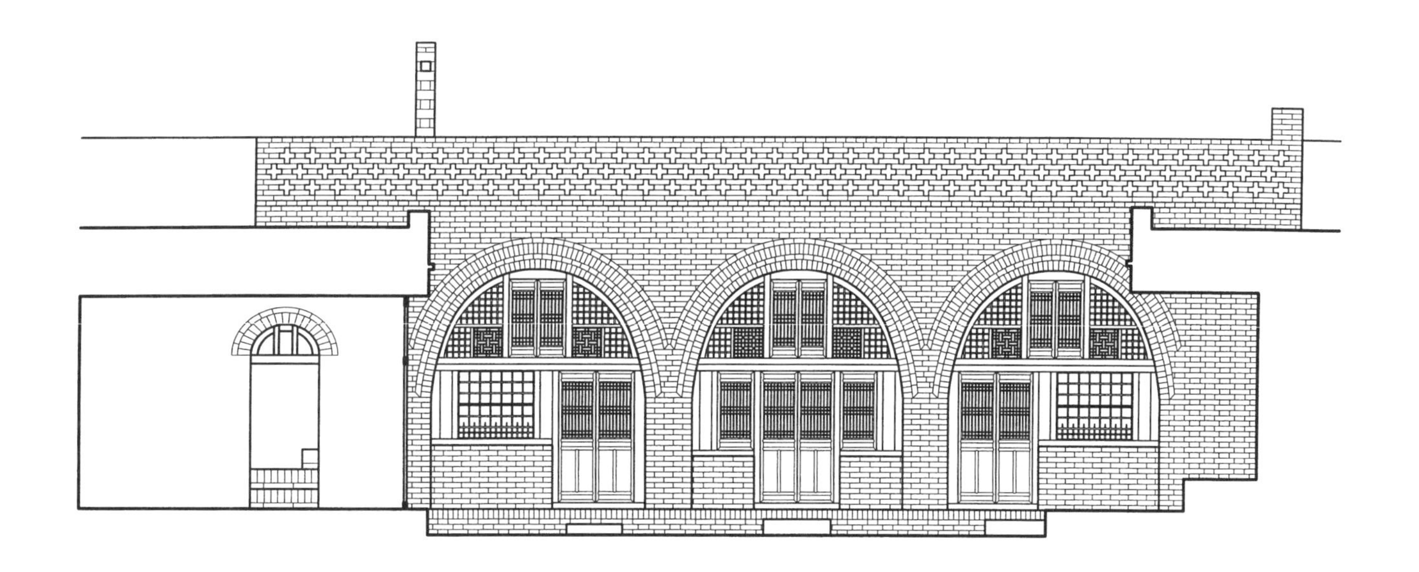

图73 锢窑洞立面图

如鸟斯革的曲线

硕大的木结构屋顶，经过历代工匠的实践和创造，出现了硬山、悬山、歇山和庑殿等多种不同的形式，但他们的创造并没有到此停止，而是继续不断地进行着探索和完善。正如在西方古建筑上的穹形屋顶，各地的工匠并不满足于简单的圆拱形，而是不断地创造出了尖拱形、穹顶外凸的葱头形等形式，从而使屋顶艺术更加丰富多彩。中国的情况也同样如此，在东西南北的大地上，在各种类型的建筑上，无论是简单的硬山、悬山式屋顶，还是复杂的歇山、庑殿、攒尖屋顶，都能看到这些屋顶的屋面不是平坦的，而多呈曲面形；屋顶四周的屋檐也不是水平的直线，而是两头有起翘的一条曲线。这种现象在欧洲的木结构建筑的屋顶上几乎看不到，可以说它是中国或者说是东方亚洲所独创的。

屋顶的屋面怎么变成弯曲的曲面呢？目前在学术界有下面这些解释：

一说这是房屋由屋顶原来的重檐经发展而形成的。中国早期建筑的屋身和台基多由泥土或土坯砖筑成，为了防止雨水对它们的侵蚀，除了加大屋顶的出檐之外，有时还在台基下加建一排檐廊，这些檐廊顶与房屋顶形成上下两层屋檐。随着砖的出现和广泛应用，同时也为了有利于室内的采光，这种檐廊也逐渐加高，它们的屋顶也和房屋屋顶相连接，两个屋面的连接由开始的折线逐步发展成为曲线，于是房屋的曲面顶便这样产生了。

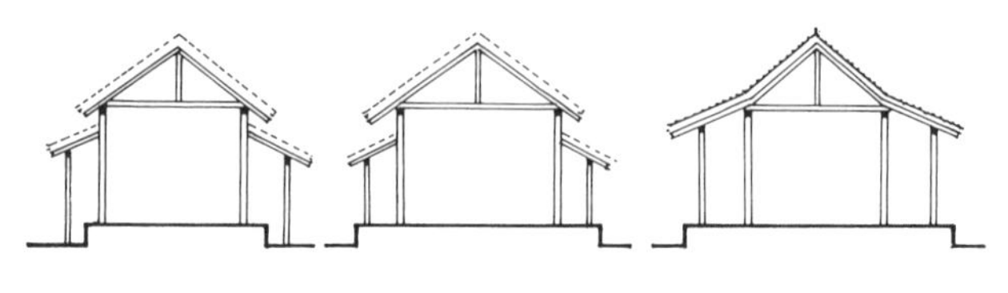

图74 曲屋面形成示意图

二是房屋建造的原因。由于房屋里外柱子不一样高，在柱子上面架设屋顶不容易使屋顶保持平面，于是不如把它们做成曲面。还有一种解释是屋顶最上面的瓦铺在木屋架的椽子上，而椽子是由一段段断面不大的短木料架在檩子上，日久天长，这样的椽子很容易弯曲而造成整个屋顶面上的曲凹不平，为了避免这种现象，不如一开始就将屋面做成曲面，以便于掩盖日后发生的变形。但是经过实际考察，在房屋建造中，屋面做成平面比做成曲面更容易。屋顶的椽子一旦因变形而使屋顶面起凹不平的现象，在曲面的屋顶上同样会发生，而且也十分明显。因此，因建造原因的两种解释与事实不符。

三是这样的曲屋顶便于采光和排水。《周礼·冬官考工记第六》中讲到古代车盖时说：“上欲尊而宇欲卑。上尊而宇卑，则吐水疾而霤远。”又说：“盖已卑，是蔽目也。”古代的车盖有的用席篷，有的用麻布之类制作，顶上比较陡，到篷边比较平缓而向上挑起成为“上尊而宇卑”的一个曲面。这样的好处一是在下雨时可以使顶篷上的雨水排得比较远；二是可以不遮挡乘车人的视线。屋顶的作用与车篷一样，所以把屋顶也像车篷一样做成曲面以取得同样的效果。屋顶的檐口抬高，可以使屋身多采纳光线，也便于从屋内向室外张目远观，这的确是事实。但是“上尊而宇卑”可以使雨水排得更远，这从物理学来讲也是对的，如果用一粒圆珠从上陡下平的轨道下滑，那么这粒圆珠一定会比它沿着直线的轨道下滑落得更远，这是因为轨道越陡，圆珠受到的地心引力越大。但是雨水不是固体而是液体，遇到下雨天，即使是倾盆大雨，满屋面的积水自屋顶排下，这种因“上尊而宇卑”而导致雨水排得更远的现象几乎见不到。

第四就是为了美观而创造了这种曲面。直面显得笨拙僵硬，曲面柔和灵秀。

曲面形的屋顶已经成为中国古建筑的一种特殊的造型手段，经过工匠千百年的不断创造和积累，在实践中也形成了相对固定的做法。在宋代朝廷颁行的有关建筑的法规《营造法式》和清代工部编的《工程做法则例》中对这种曲面屋顶的做法都有明确的规定。

在宋《营造法式》中，规定殿阁楼台这类比较重要的建筑，它们的屋顶高度（指从屋顶檐部最下面的枋子至屋顶梁架最上面脊檩之间的高度）为房屋深度（指前后屋檐最下面枋子之间距离）的1/3。从最高的脊檩到屋檐的枋子之间等距离地置放若干根檩子，由上至下成斜坡形组成屋顶部分的木框架。如果这些檩子都紧贴着脊檩和檐枋之间的连线安装，那么形成的屋面完全是平面的。如果要做成曲面屋顶，这些檩子就不能处在一条直线上了。《营造法式》规定自上而下，脊檩以下的第一根檩子下降屋顶高度的1/10，第二根檩子下降屋顶高度的1/20，第三根下降1/40……余按此类推（详见“举折之制”图）。经过这样处理，由上下檩子组成的屋面就成为一个曲面。因为脊檩的位置是由房屋深度决定，将它举到规定的高度，然后一段段折下而定出下面檩子位置，先举后折，所以称为“举折之制”。《营造法式》又规定凡厅堂之类比殿阁规模小一些的建筑，它们的屋顶高度是房屋深度的1/4，也就是说这类建筑的屋顶比殿阁要低一些，建筑规模越大，越重要，它们的屋顶也越高大。

在清代的《工程做法则例》中规定的屋顶曲面做法和宋《营造法式》的做法不同，最主要的区别是清代先不以房屋深度的1/3或1/4规定屋顶的高度，而是从屋檐开始，自下而上一步步向上举起多根檩子的高度。《工程做法则例》将房屋深度均分为几份，每一份上安置一根檩子，相邻两根檩子之间的水平距离称为一“步架”。从最下面的檐檩开始，第二根檩子举起高度为步架的5/10，第三根檩子举起高度（指与第二根檩子距离）为步架的6/10，如此向上，每一根檩子高度逐步增加，至最上的脊檩可达步架的9/10。其结果就形成上陡而下平缓的屋顶曲面。在《工程做法则例》中把这样的5/10、6/10、7/10、9/10称为五举、六举、七举、九举。也可以是五举、六五举（6.5/10）、七五举（7.5/10）、九举，根据建筑的深度而定。总之建筑越大，其屋顶也越高耸。因为这种做法是把逐层

图75 古代车盖图

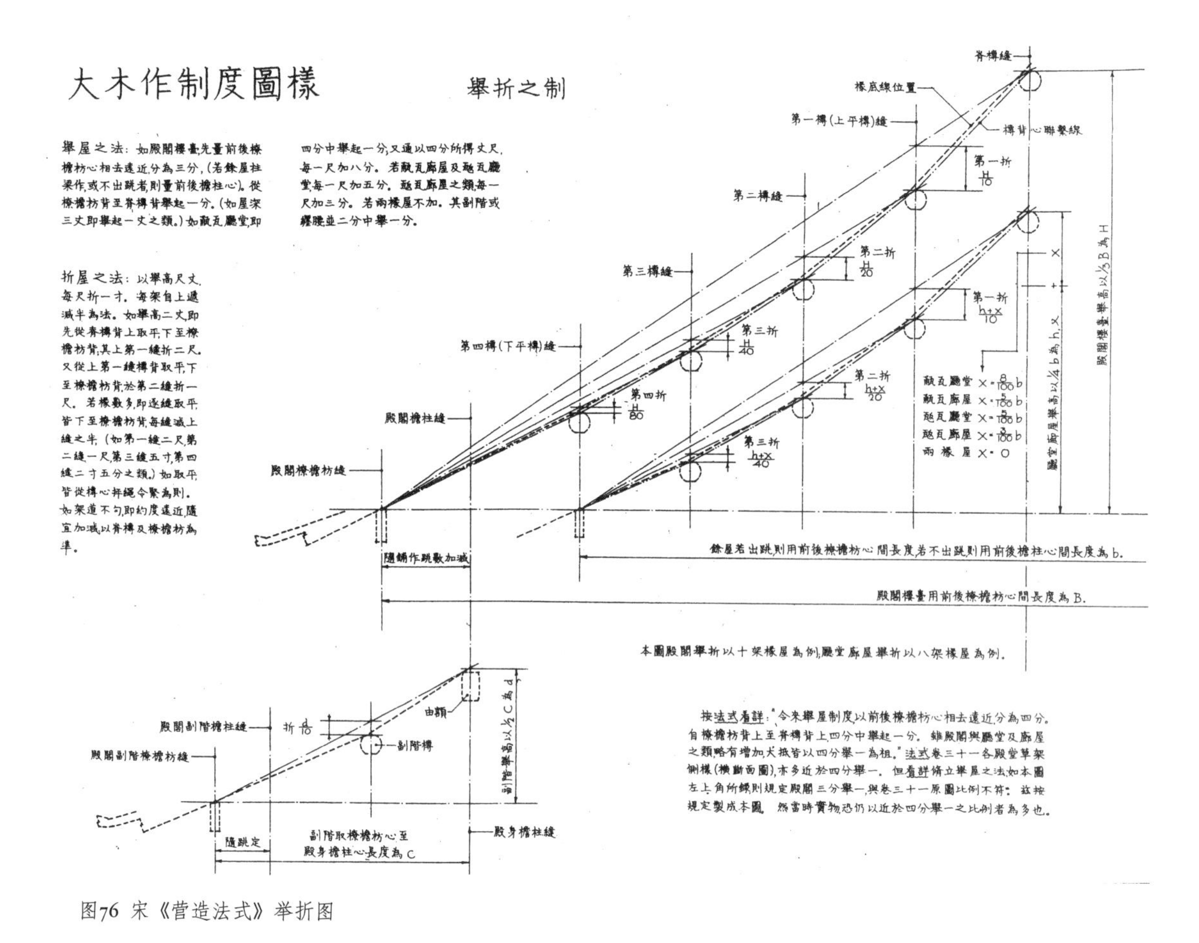

图76 宋《营造法式》举折图

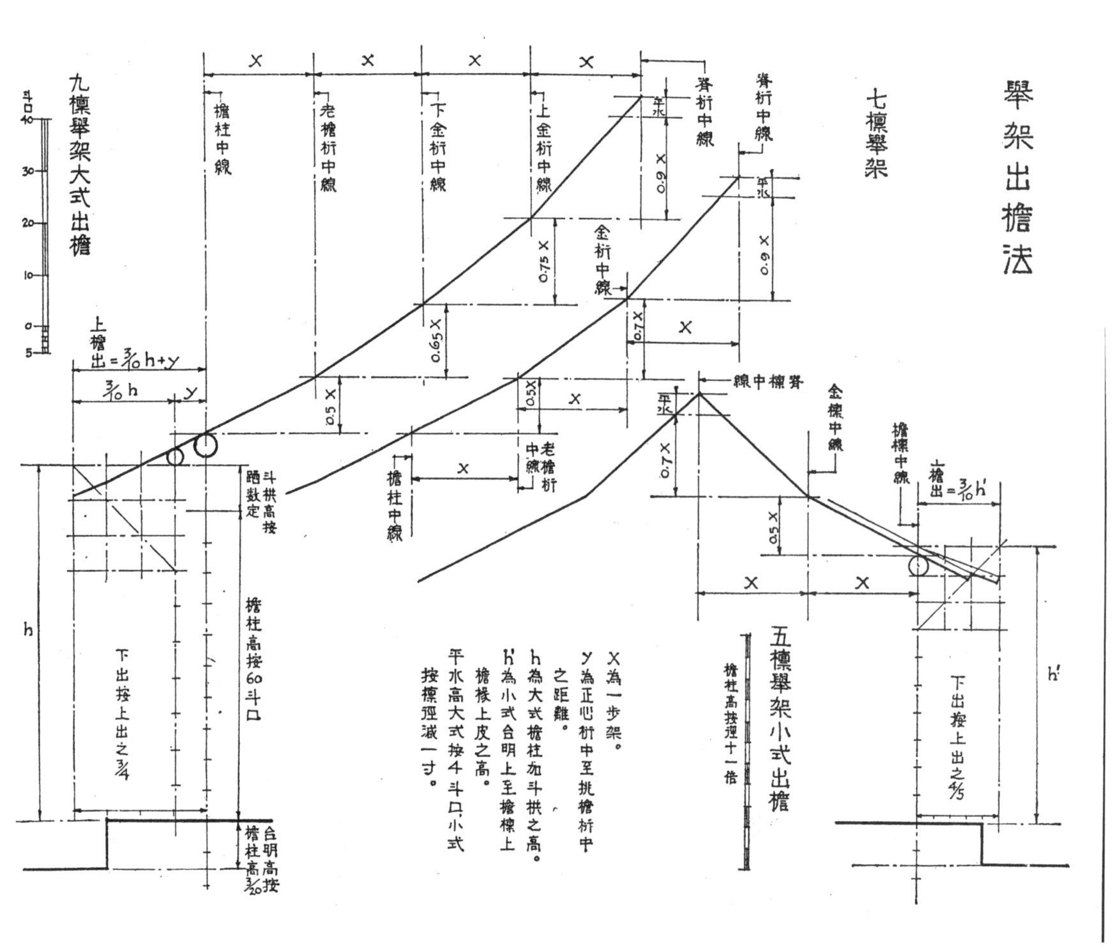

图77 清《工程做法则例》举架图

图78 北京紫禁城宫殿曲屋面

图79 南方寺庙大殿曲屋面

檩子举到应有高度而架设，所以称为“举架”。不论是宋代的举折还是清代的举架，它们都是长期建筑营造经验的归纳与总结。由于中国长期处于封建社会，各地区的工匠也会有自己行之有效的一些经验做法，它们不一定与《营造法式》和《工程做法则例》中规定的方法完全相同，但都能制造出各种不同的曲面屋顶。

硕大的屋顶除了曲面形的屋面之外，四周的屋檐也是曲线形的，它们的产生最初是由于结构上的原因。房屋的出檐是为了保护墙体和台基免遭雨水浸袭，可以便于人在屋檐下免受雨淋日晒。这样的出檐是靠屋顶上伸出的椽子支撑，一层檐椽不够远，还要在檐椽上加一层飞椽。这样的出檐到了房屋的四个角上，它们的深度，也就是挑出的长度必然会加大，于是原来的椽子改为加长了的，呈45°斜放在梁枋上的角梁，像椽子由檐椽与飞椽相叠加一样，四角的角梁也由下面的老角梁和上面的仔角梁相叠而支撑住上面的屋檐。角梁长度增加了，厚度也加大了，原来沿着椽子的屋檐到四个角上也随着角梁而向上升起，于是屋檐很自然地变为中间水平，两头起翘的曲线。这样的曲线不但表现在建筑的立面上，而且因为角梁的伸出，在屋顶的平面投影上，也使四个角向外突出，使屋檐的平面投影也形成一条中间平、两头外出的曲线。当我们站在这样的屋顶的四个角下，抬头仰望，只见中央的两层角梁高高翘起，两侧的椽子成翼状散布，随着梁头直冲蓝天，充分显示出这种双向曲线所造成的“翼角飞椽”奇观。

在北京紫禁城的众多宫殿屋檐下都可以欣赏到这种翼角飞椽，但是在中国南方的一些寺庙、祠堂里，这种翼角就更为奇特了。在云南的一座佛寺的钟楼上，上下两层屋檐变成两条从中央就弯曲的完全曲线了，其中上层屋檐曲线的弯曲度比下层屋檐更大一些，两者相组合更加强了屋檐的动态。福建一座佛寺屋檐的四个角不但起翘，而且翘得高凸，直冲青天，

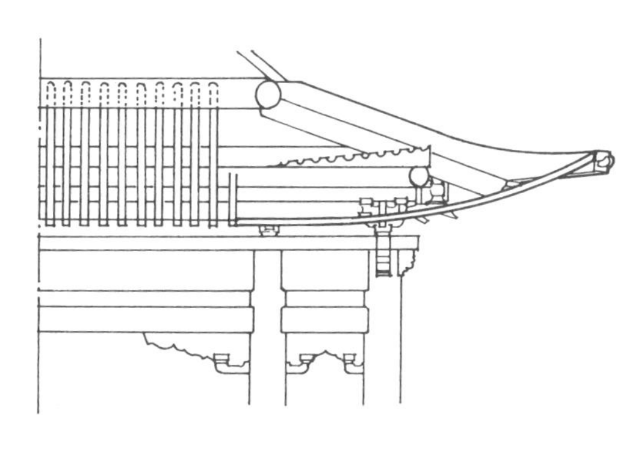

图80屋角起翘结构图

图81 屋角起翘结构

图82 紫禁城宫殿“翼角飞椽”

图83 云南鸡足寺钟楼屋檐

图84 云南丽江寺庙屋顶檐口

(1)

(2)

图85 寺庙建筑屋顶不同高度的翘角 (1) (2)

图86 左图：福建佛寺屋顶的翘角
图87 右图：屋顶高翘角的结构

这样的形态还可以在南方的不少祠堂大殿、戏台上见到，这里的屋角已经不是屋檐结构自然形成的形式，而是由特殊的构件所构成，是在伸出的老角梁的顶端专门竖立起一根几乎直立的木构件，才构成了这些直冲蓝天的屋角，它们产生于艺术造型的需要，是单纯为了美观而形成的纯装饰。这种纯装饰的造型手段在民间用得越来越广泛，不但屋檐是翘起的，连屋顶上的正脊也由水平变为两头起翘的曲线了。

图88 浙江郭洞村文昌阁立面图

图89 浙江新叶村文昌阁屋顶立面图

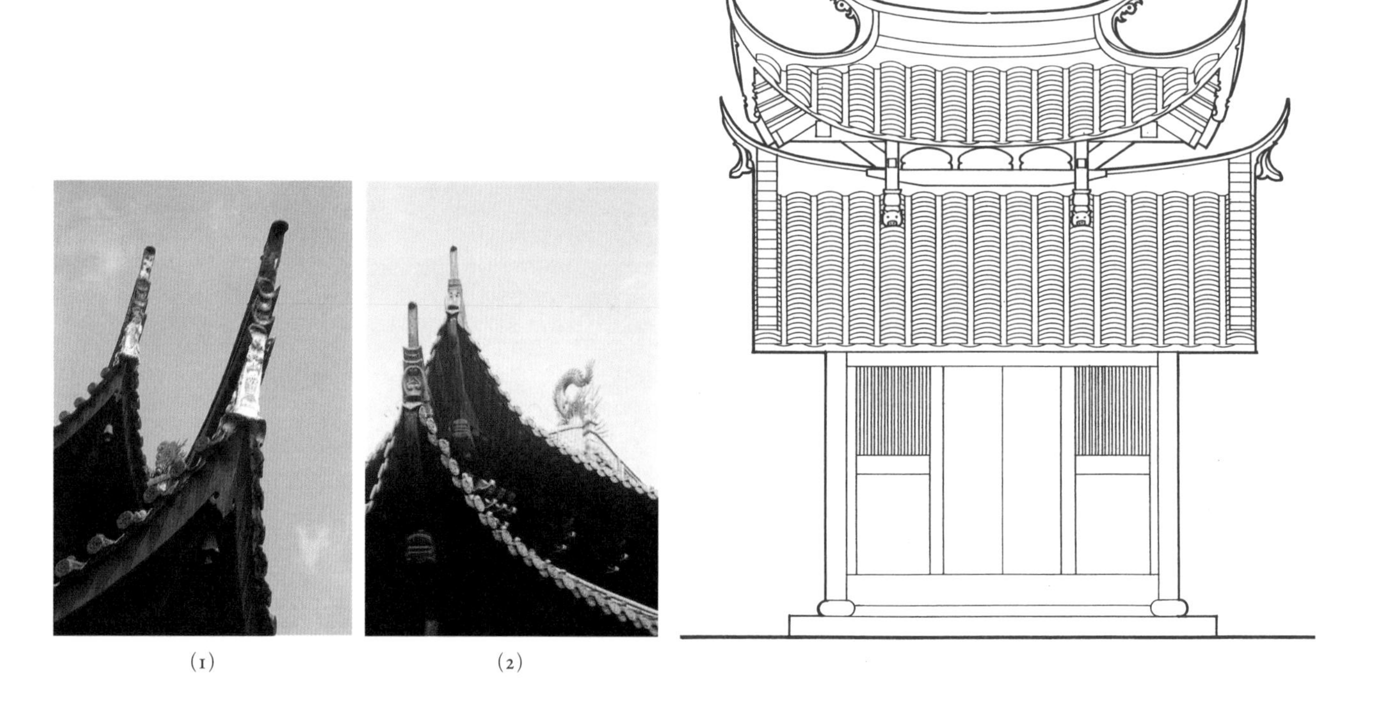

(1) (2)

图90 直冲蓝天的翘角 (1) (2)

图91 福建楼下村小庙屋顶的翘角与弯脊立面图

从皇家的宫殿、陵墓，宗教寺庙到园林里的亭台楼阁和乡间的祠堂、住宅，一座座屋顶，都经过了不同程度的加工塑造，屋面是曲面的，屋檐、屋脊是曲线的，硕大的屋顶变轻巧了，僵硬的屋顶变柔和了，它们的屋角高高翘起，好像屋顶生出的翅膀，在蓝天中飞翔，所以古人把这样的屋顶形容为“如鸟斯革、如翚斯飞”。

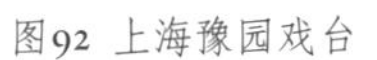

图92 上海豫园戏台

图93 豫园楼阁

图94 贵州寺庙楼阁

正脊与正吻

中国古代建筑的屋顶为了便于清除雨水与积雪，多采用坡屋顶的形式，常见的有前后呈人字形的两面坡，向四面倾斜的四面坡，以及六角、八角、圆形的攒尖顶等几种式样。在屋顶上两个坡面相交就产生了屋脊，数条屋脊相交就形成一个突出的节点。其中前后两个坡面相交的屋脊因为与房屋正面平行，所以称为“正脊”，正脊两端与其他屋脊相交的节点称为“正吻”。这类坡形屋顶和上面的正脊与正吻在汉代的明器上已能见到。明器是汉代的一种陪葬品，用陶器制作成各种房屋、人物、动物和器物的模型，将它们与墓主人一起下葬置于地下墓室之内。这是因为古代相信人死后只是身体的消亡，而人的灵魂永远不灭，它将一直生活在另一个“冥间”的世界，所以要制作这些模型与主人一起送到“冥间”去供他们使用。由于中国早期的建筑留存至今的很少，它们的形象除了古代文献上的描述外，只能从这些墓葬中的陶制房屋模型，墓室砖、石上或者铜器、岩画上的房屋图像中去认识。正是通过这些珍贵的资料使我们不但见到距今已2000年的早期建筑的屋顶式样，而且还看到了在这些屋顶上的装饰。在几座汉代明器上，无论是两面坡或者四面坡屋顶几条屋脊相交而成的正吻，尽管看不出它们所表现的内容，但显然已经是通过匠人有意识的加工而不是自然之物了。在河南南阳出土的画像石和河南辉县出土的铜鉴上都刻画有汉代和战国时期的建筑画，四面坡房屋的正脊和屋脊相交的正吻上立着飞鸟，说明对这些建筑构件形式上的加工已经有了具体的内容。

历史上早期的建筑留下的实物很少，但自唐、宋以来，在一千多年的历史长河中祖先也为我们留下了大量宫殿、陵墓、寺庙、园林、住宅等类型的建筑遗

河南南阳市杨官寺汉墓出土画像石刻四层楼阁（《南阳汉代画像石》）

河北孟村回族自治县王宅1956年出土东汉陶楼（高85厘米）（河北省出土文物选集）

图95 汉代明器屋脊上的正吻

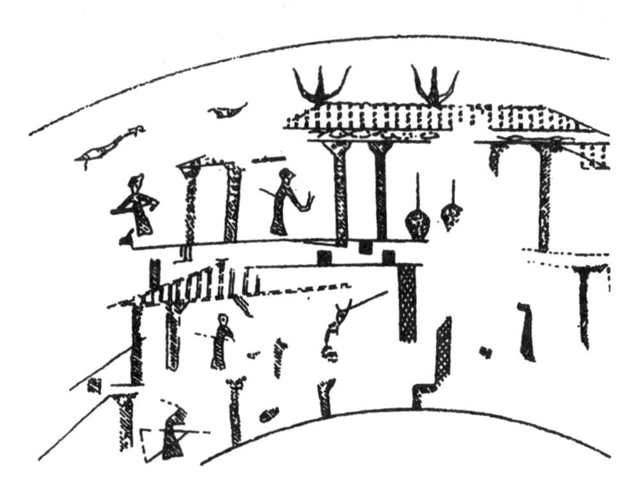

图96 汉画像石和铜鉴上的屋脊

产，它们都具有各式各样的屋顶。我们在这里首先要向读者展现的就是这些屋顶上的正脊与正吻的形态，领略它们在形式与内容上的多样性。其次是进一步从这些多彩的正脊与正吻中去研究与认识它们的发展规律。

在记录中国南方建筑工程做法的专著《营造法原》里，专门有一章讲的是“屋面瓦作及筑脊”。书中列举了正脊的若干种做法，有游脊、甘蔗、雌毛、纹头、哺鸡、哺龙等多种式样。其中游脊与甘蔗两种最简单，即用瓦竖立于屋脊上，两端用回纹作结束。雌毛、纹头脊也是用瓦竖立作脊，在两端做成雌毛或者纹头，纹头的式样可以是回纹等几何形纹样，也可以是植物花草纹。以上这几种因为比较简单，多用在普通房屋屋顶上。哺鸡和哺龙的脊身可以和甘蔗、雌毛脊一样用竖瓦组成，也可以用多层的瓦叠加组成脊身，有的还在脊身上用瓦组成透空的花纹，使脊身更富有变化，在两端则用哺鸡或哺龙作收头。这两类正脊因造型比较丰富而多用在园林和寺庙的厅堂屋顶上。还有用在殿堂上的更复杂的鱼龙吻脊和龙吻脊。

在浙江、福建、安徽、广东等江南地区，我们都可以看到以上《营造法原》中所列举的各式屋顶的正脊：有用竖瓦组成简单的正脊，有两端起翘很高很细的雌毛脊，有两头装饰着花草及各式几何纹样的脊和哺鸡、鱼龙吻之类的脊。

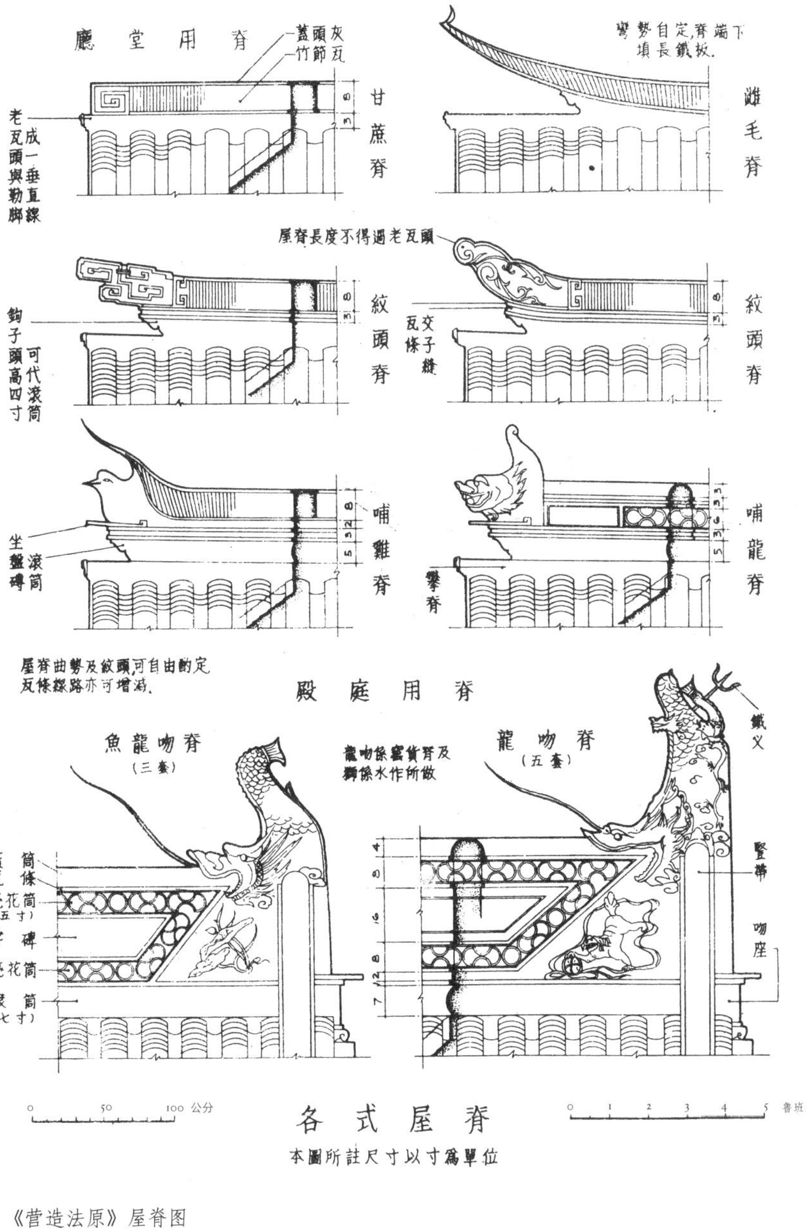

图97 《营造法原》屋脊图

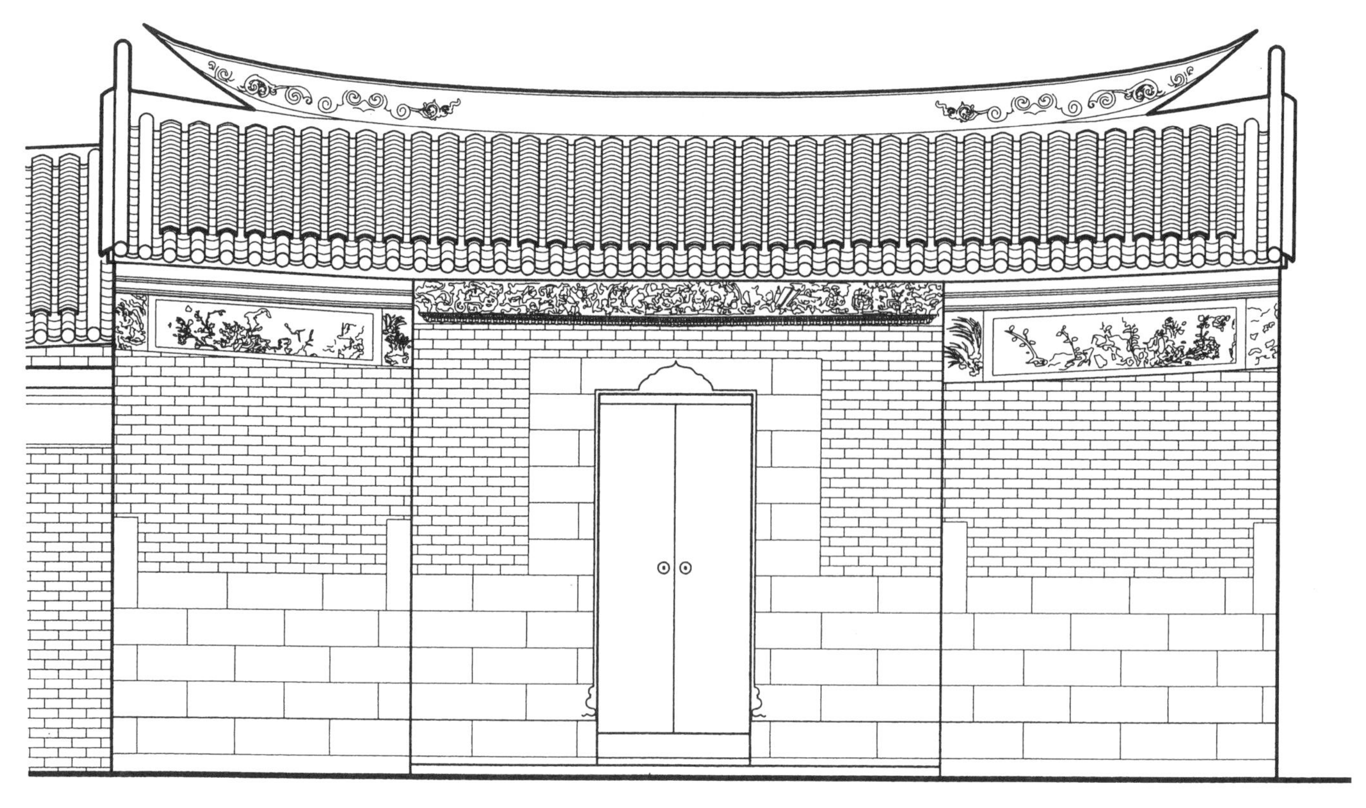

图98 广东东莞南社村住宅屋脊图

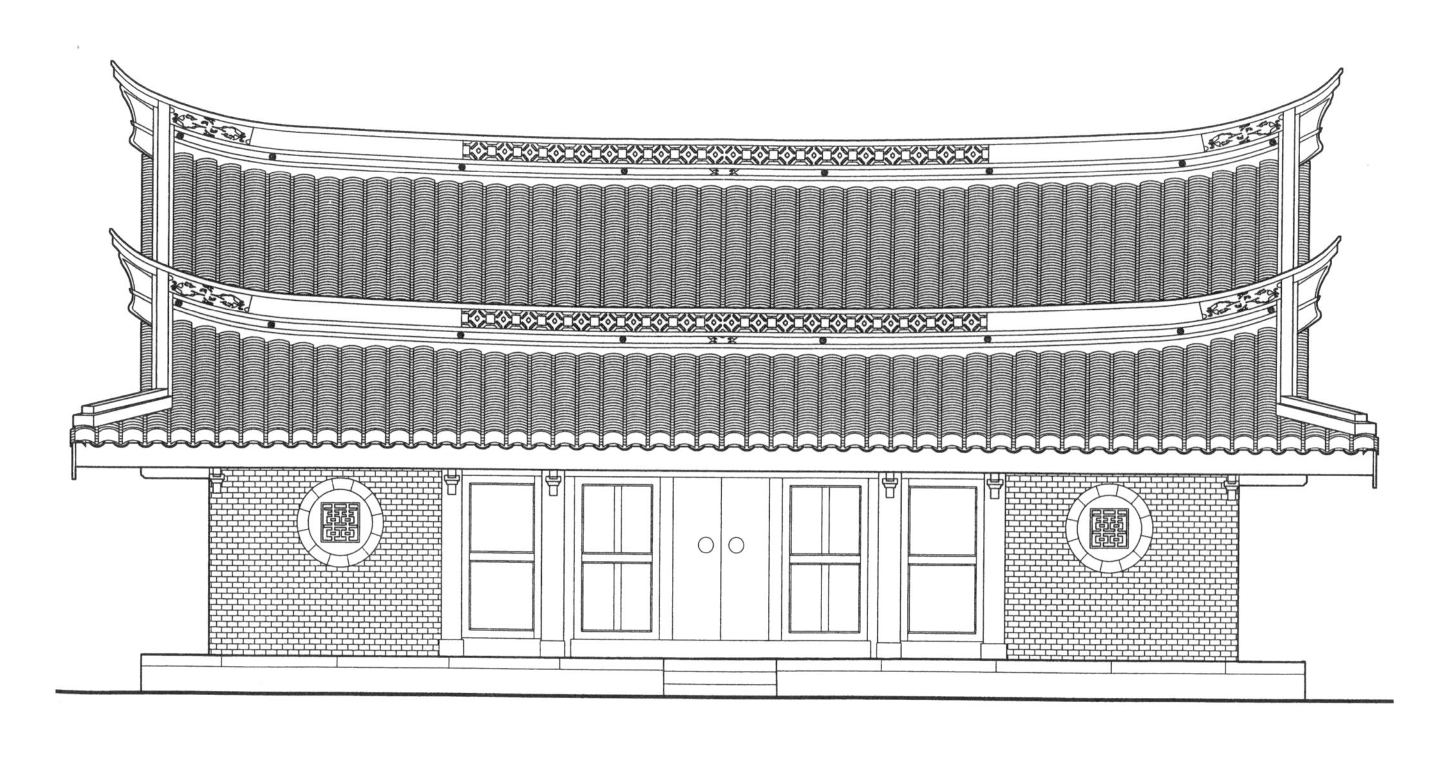

图99 福建南靖石桥村东山祠屋脊图

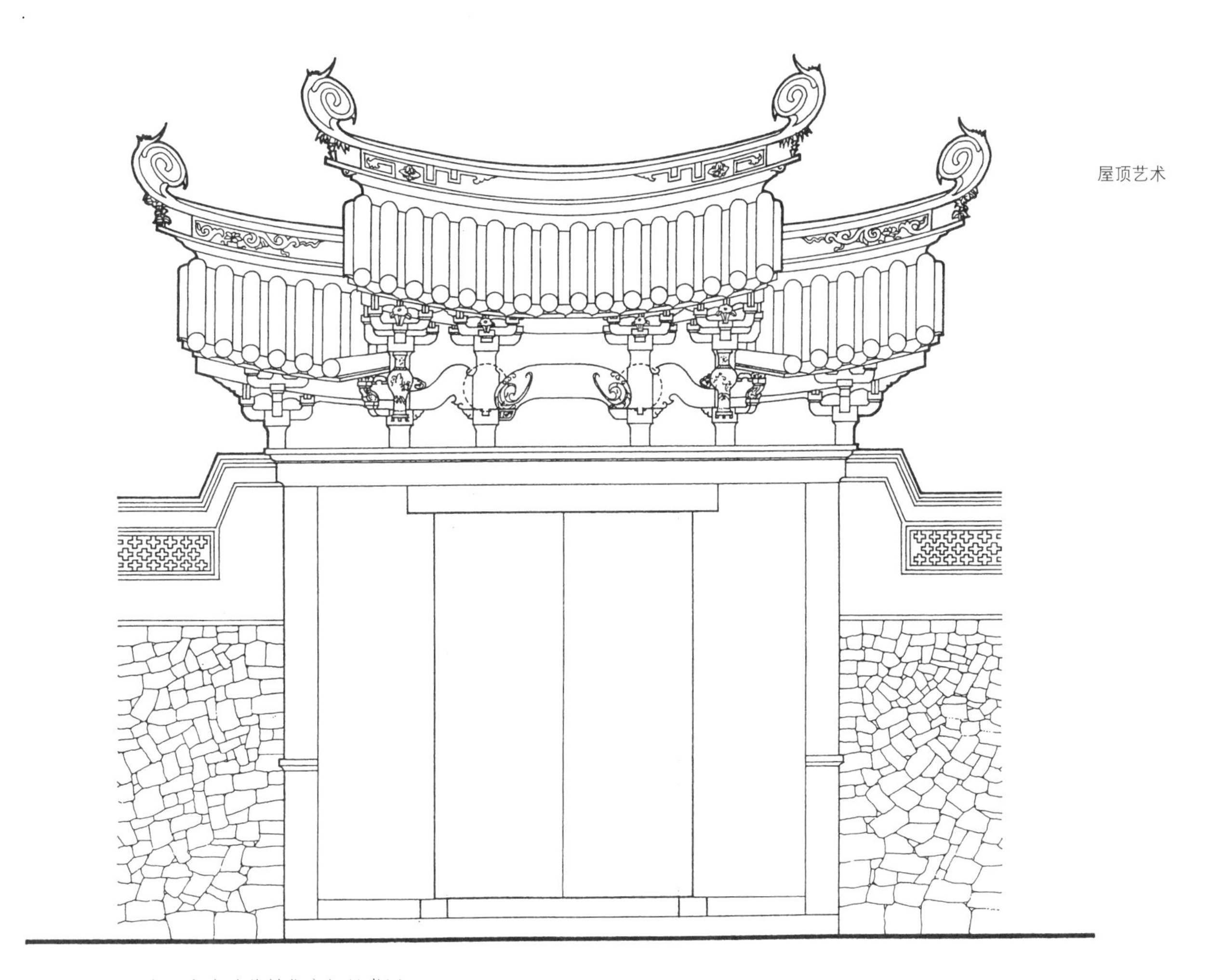

图100 浙江永嘉芙蓉村住宅门屋脊图

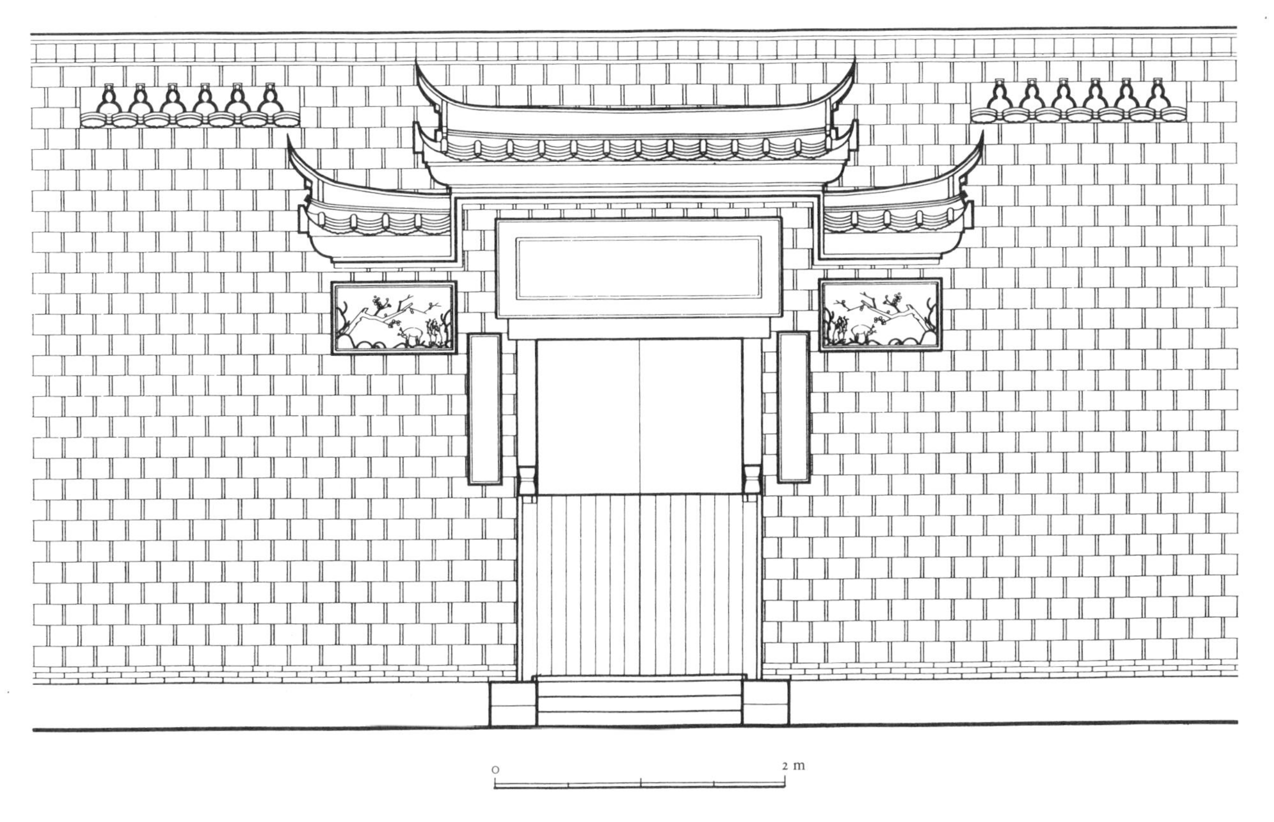

图101 福建福田楼下村住宅门屋脊图

图102 浙江兰溪诸葛村祠堂门屋脊图

(1)

(2)

图103 江苏苏州住宅屋顶哺鸡脊 (1) (2)

图104 南方建筑屋顶龙吻脊

图105 南方寺庙屋顶鱼龙吻脊

在梁思成所著的《清式营造则例》中介绍了清代官式建筑屋顶正脊和正吻的式样和做法。一条正脊由几种条砖与瓦上下叠合而成，两端立着高出屋脊的正吻。这种官式的脊、吻在明、清两代的北京紫禁城宫殿上见得最多，它们的式样也最规则 。正脊是由琉璃砖、瓦组成，只有凸凹的线脚而无其他的装饰，整条正脊左右保持水平而没有两头的起翘。正脊两端是琉璃烧制的正吻，它的形状是由龙头、龙尾和一条龙腿、龙爪组成，龙嘴张开吞咬着正脊。虽然在正吻的表面刻画有一条完整的小龙，但由于正吻在整体上不具有龙的完整形象，因此在龙象征着皇帝的紫禁城宫殿建筑上，它不能称为龙，而只能是“龙生九子”的九子之一，称为鸱吻。紫禁城的大小宫殿几百座，但它们的屋顶正脊与正吻都保持着这样规则的形状，只是正脊的高低与正吻的大小根据宫殿的规模和重要性而定。太和殿作为帝王举行重大政治活动的中心大殿，它的正脊高约1.2米，左右两端的正吻高达3.4米，宫殿屋顶的做法应该是官式建筑式样的范本，它

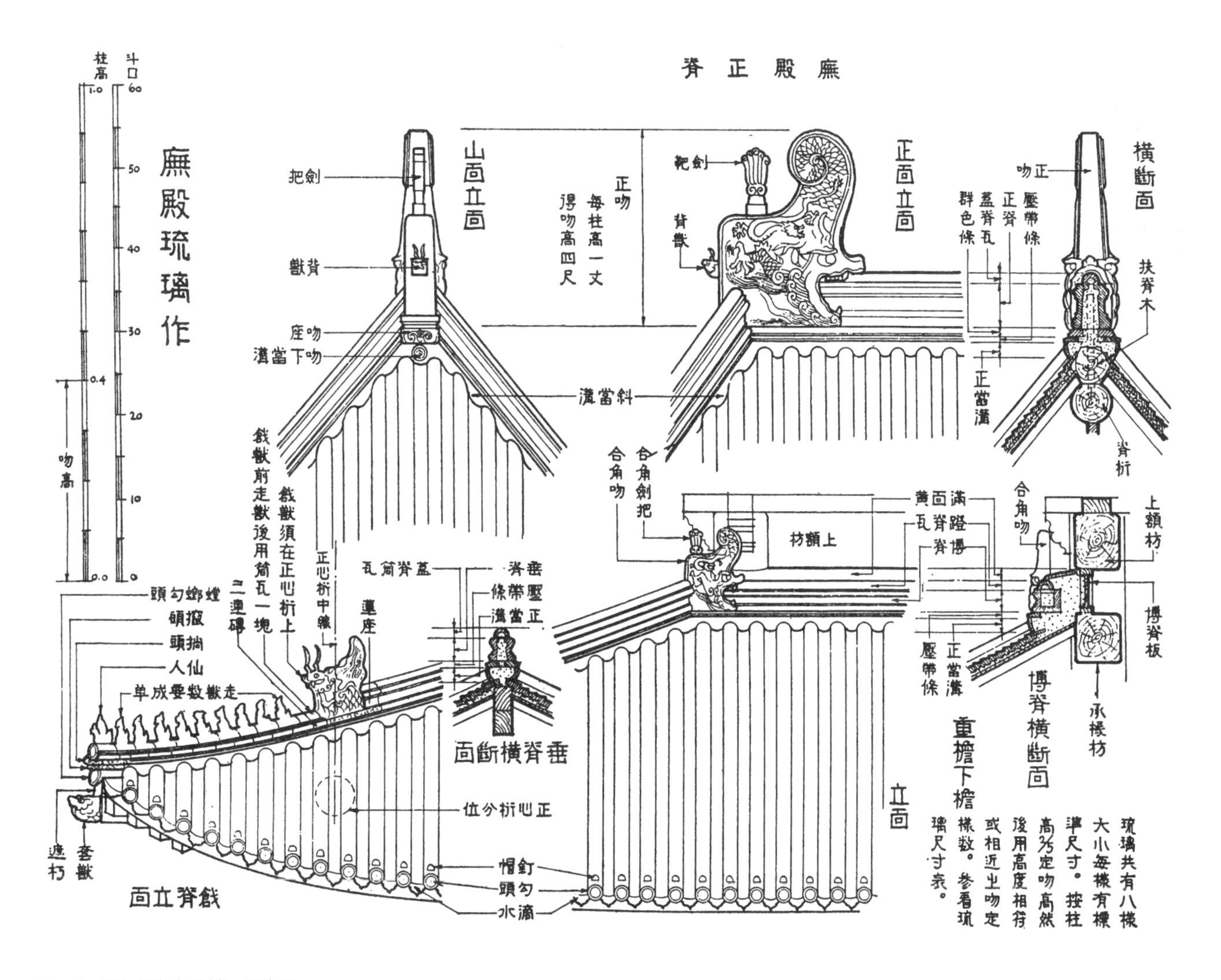

图106 《清式营造则例》正吻图

图107 北京紫禁城太和殿正吻

既不允许超越，但同时又对民间建筑起着示范作用，所以我们在山西、河北、山东一带的城、乡建筑上都可以见到这种屋顶正脊与正吻的形式，只是在体量的大小和正吻的形态上有区别。如果以这些地区最大量的住宅与宫殿相比，它们的正脊相同之处是简单的一条脊，左右持平不做曲线，脊两端有高出的正吻。它们的不同之处一是筑造脊与吻的材料，宫殿用琉璃砖瓦，民间建筑用普通砖瓦；二是宫殿正脊上除有线脚外别无其他装饰，而民间建筑上多用砖雕作装饰；三是宫殿的正吻形象比较统一，而民间建筑的正吻没有固定式样。这些民间房屋的正脊都是用烧制成型的砖瓦件拼接而成，所以可以用简单的纹样左右并联而成为连续的雕刻装饰，也可以是独立的花饰。正吻多烧制成为一整块瓦件，如果体量大，也可以烧成几块拼装。但它们的形象多不雷同，这里既有像宫殿正吻那样龙头为主、张嘴吞脊的形象，但更多见的是龙头在

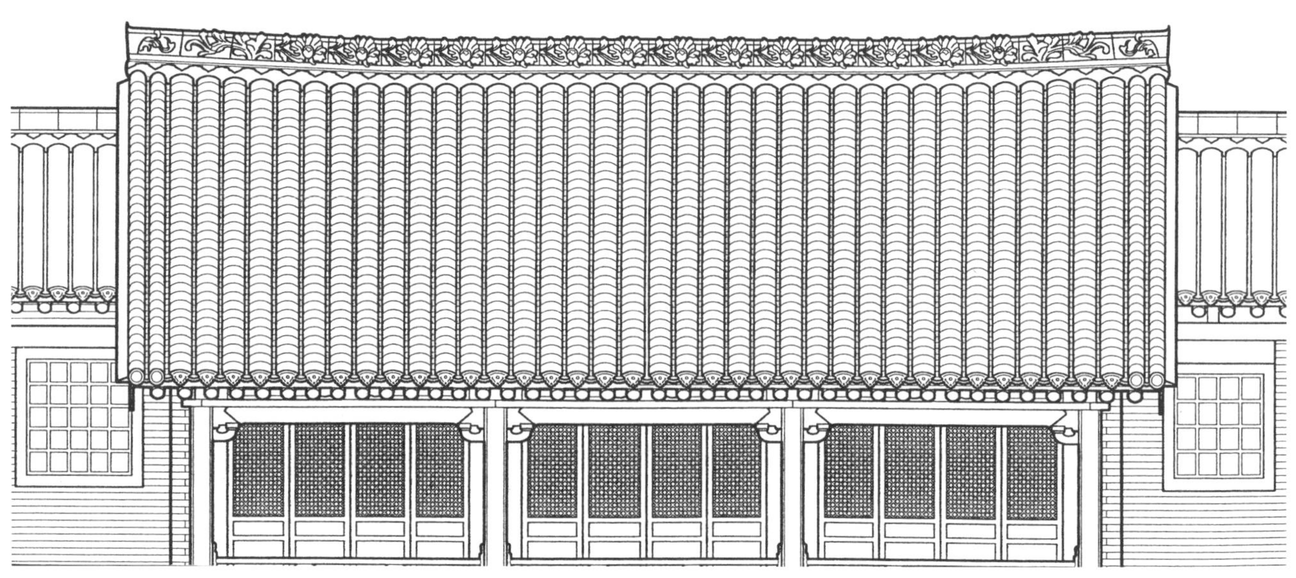
(1)

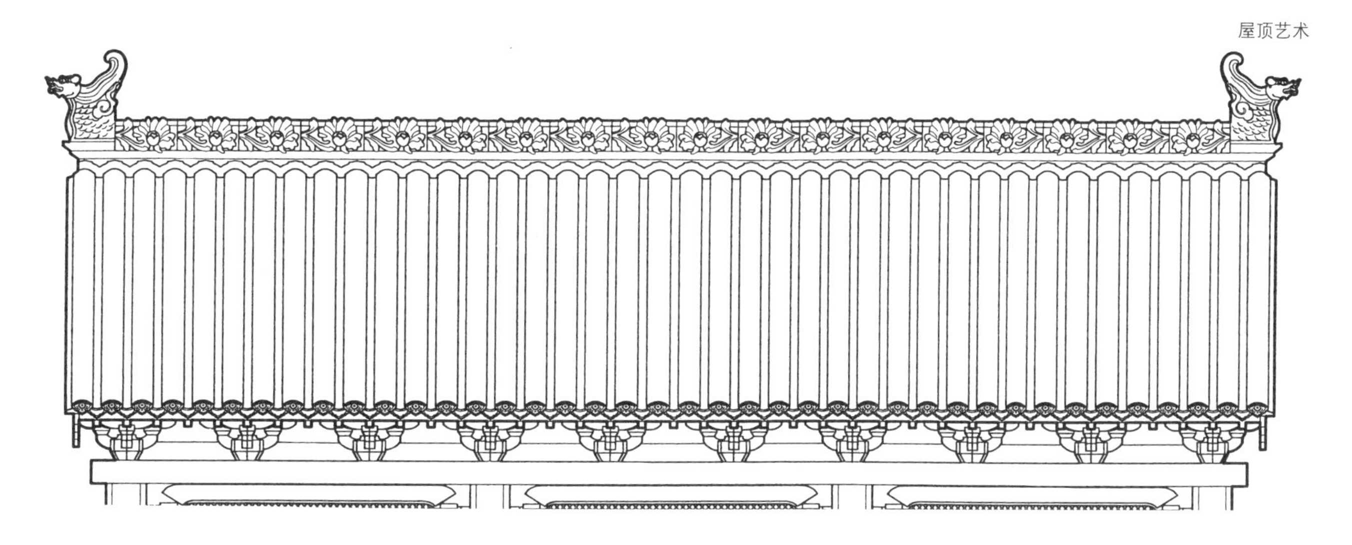

（2）

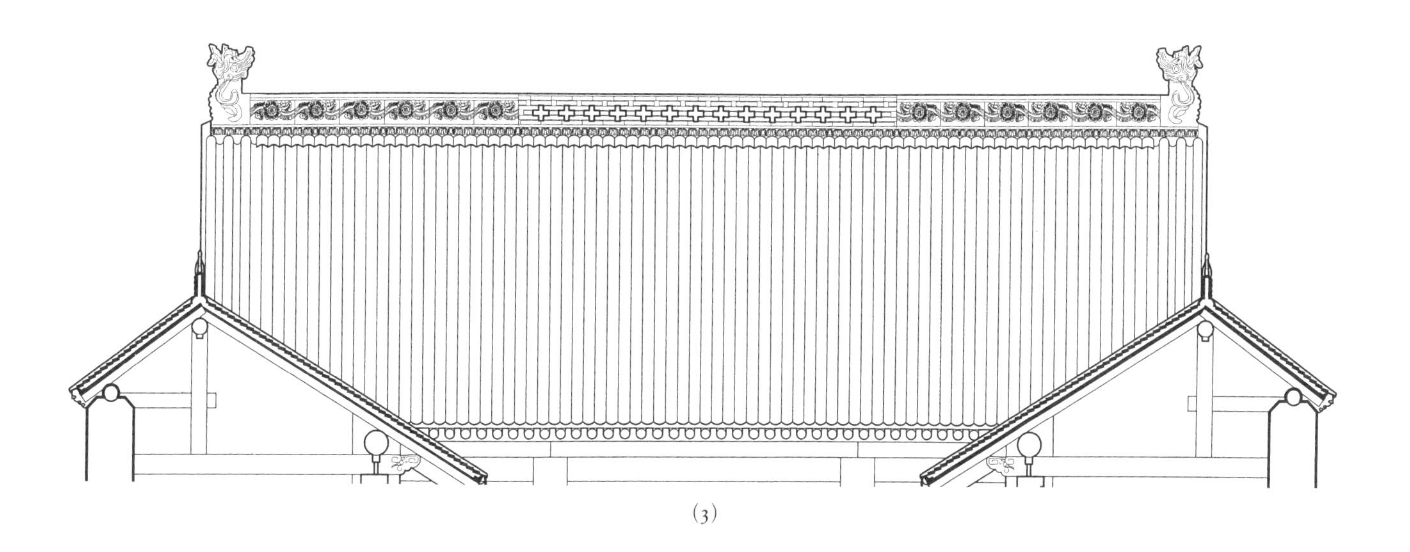

（3）

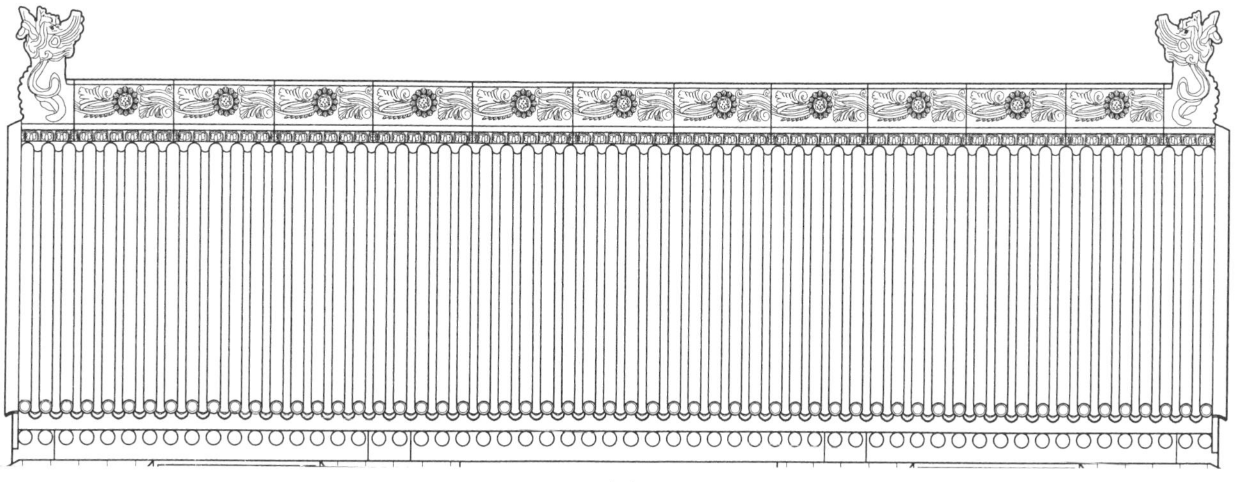

（4）

图108 山西农村住宅屋脊图（1）（2）（3）（4）

上仰首向外张望的姿态，有的还张着嘴作吼叫状，造型十分挺拔而有神。有的较大的正吻既有衔脊的龙头，又有向外张望的龙头，两龙相背相连或相平，或一高一低，其形象比宫殿的正吻更为多样。

紫禁城的宫殿在全国只有一处，属于帝王的坛庙、陵墓、园林等皇家建筑也只有少数，但各地除了大量住房之外，还有许多寺庙、衙署、园林、宗祠、会馆等等类型的建筑，它们数量上虽不占多数，但都比住宅重要，不论是宗教寺院，朝廷的部门，还是家族的祠堂，商会的会馆，官吏、富商的园林，这些建筑在规模上多比住宅大，在装修装饰上也比一般住宅讲究，这种讲究自然也表现在屋顶的正脊与正吻的形态上。在各地这类具有公共性的建筑上，我们看到的多不是简简单单的一条正脊了，而是在这条脊的脊背上加了各种装饰；脊两端的正吻不只是纹头、哺鸡和龙头这样几种形态了；制作脊、吻的材料多喜欢用陶塑、灰塑，而且还用多色彩的琉璃组成更为绚丽的屋顶。

山西沁水县西文兴村是一座柳氏家族的血缘村落，村里至今还留下多座明、清时期的住宅，在村口建有关帝庙和文昌阁各一座。关帝庙供奉关公，是保佑百姓平安的；文昌阁供奉文昌帝君，是保佑村内多出读书人，经科举而步入仕途，升官发财。这一庙一阁寄托着全村百姓的希望，自然比住宅重要，所以在村里的住宅屋顶上，正脊、正吻都造型规则，由砖瓦筑成，而在这庙、阁的屋顶上，正脊中央都增加了装饰，而且脊与吻都由琉璃烧制而成。关帝庙大殿的正脊由蓝、黄、绿诸色琉璃构件组成，脊上有人物、花卉的形象。在脊的中央有两个张嘴衔脊的龙头，在它

(1)

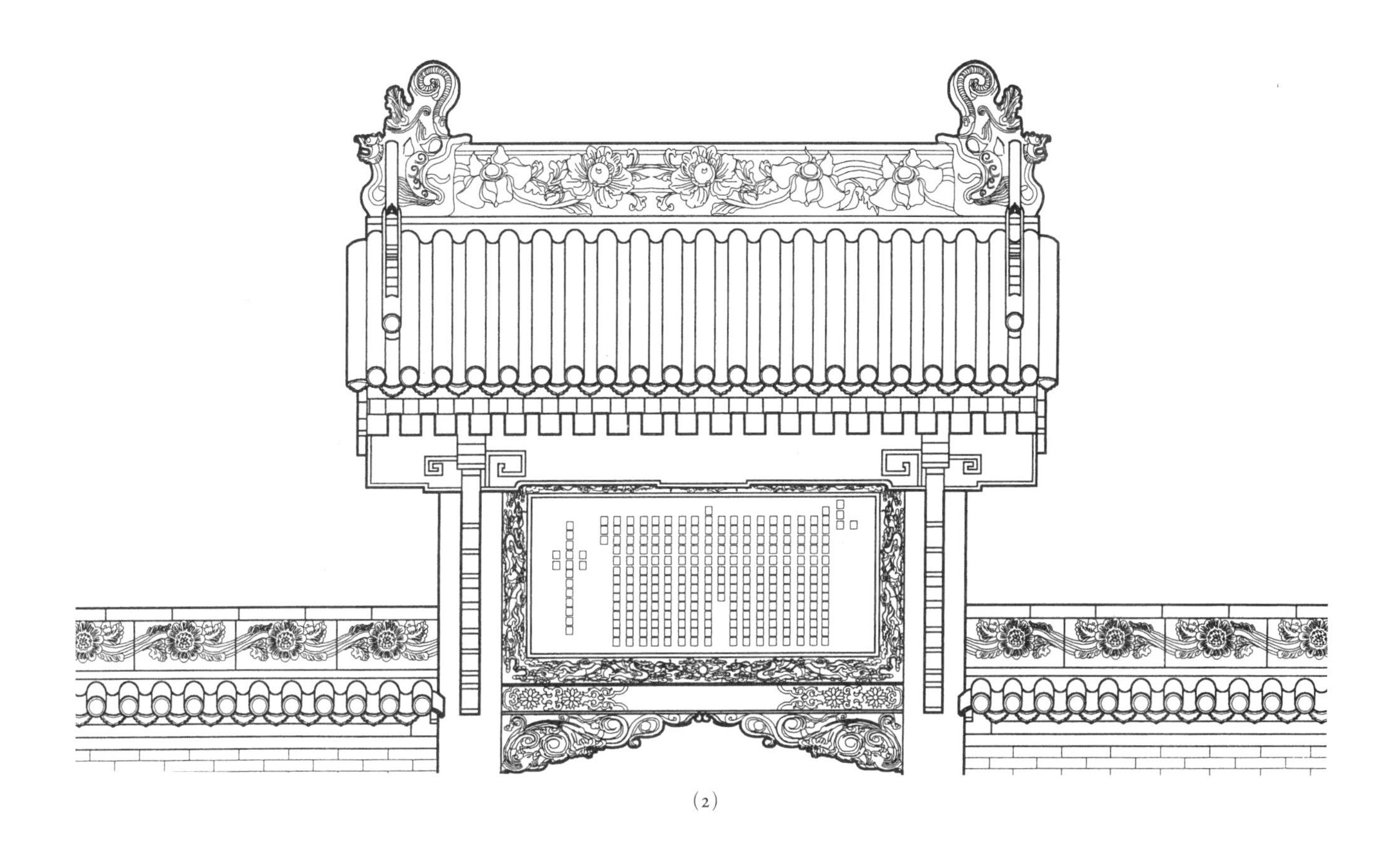

(2)

(3)　(4)

图109 山西农村住宅屋脊正吻图 (1) (2) (3) (4)

(1)

(2)

图110 山西农村碑亭屋脊正吻（1）（2）

(1)

(2)

(3)

图111 山西农村住宅屋脊正吻（1）（2）（3）

们的头顶上承托着一座两层高的楼阁。楼阁虽小，但形象很完整，有基座、立柱、横梁、雀替、斗栱、屋顶。正脊两端的正吻也由黄、绿、蓝色琉璃烧制而成，龙头张嘴衔脊，龙尾高竖反卷，整体形象很有气势。两头正吻的龙头与正脊中央龙头左右相对，在它们之间的正中位置，又加了一位武士跨立于脊上。一条长达9米的正脊，尽管分散地装饰着人物、动物、植物与建筑，但经过这样精心的设置，将这些分散的个体联成为一组互有联系的整体了。

在山西介休县张壁村，我们看到了与西文兴村相同的现象。村里大片住宅的屋顶，它们的正脊、正吻多为规则的形式，而在几座寺庙和城楼的屋顶上却都有彩色琉璃的正脊与正吻。其中最为显著的是空王殿的屋顶正脊与正吻。空王殿供奉的是空王佛，空王原为人世间一僧人，能在久旱之年祈天赐雨，日久得道而成佛，成了民间司雨水的神。在常遇旱情的山西这一带，自然得到远近百姓的信奉，所以殿虽不大，只有三开间，但屋顶的装饰却很热闹，尤其是一条正脊和两端的正吻更为醒目。正脊完全用琉璃烧制出神龙与凤，游弋于行云、花朵之间。正脊中央置有高耸的阁楼，上下两层都供有佛像，阁顶立有莲座与宝珠组成的刹杆。在阁楼两侧各有一块匾，上面题着施银善人和琉璃匠人的姓名，并书有“万历四十一年三月十五日志旦”字，应该是这座大殿建造的确切年代，明万历四十一年（1613年）；距今已经有近400年的历史了。紧挨着匾两侧是衔脊的龙头，头上各承托着一只麒麟，麒麟下有基座，上立宝瓶。龙头上的麒麟，有时也用象，都是神兽和瑞兽，加上刹顶上的莲座、宝瓶都是佛教装饰中常用之物。这种中央立楼阁，两侧有动物、宝瓶相配而形成的装饰，当地称为“三山聚顶”，意思是它们好比三座山集聚在屋顶中央成为重要的装饰。正脊两端是龙形正吻，这里的龙头比宫殿上的更加生动，翘在上面的龙尾变为小龙头了，原来在正吻壁上的一条小龙现在却盘绕在吻顶上龙的脖子上。两端正吻的龙头和正脊中央“三山聚顶”的龙头正好左右相对，在它们之间的脊背上又各有四位武将，他们都骑在战马上，两骑左右相对，一手勒马缰，一手扬马鞭，来往奔驰于屋脊上，形态极为奔

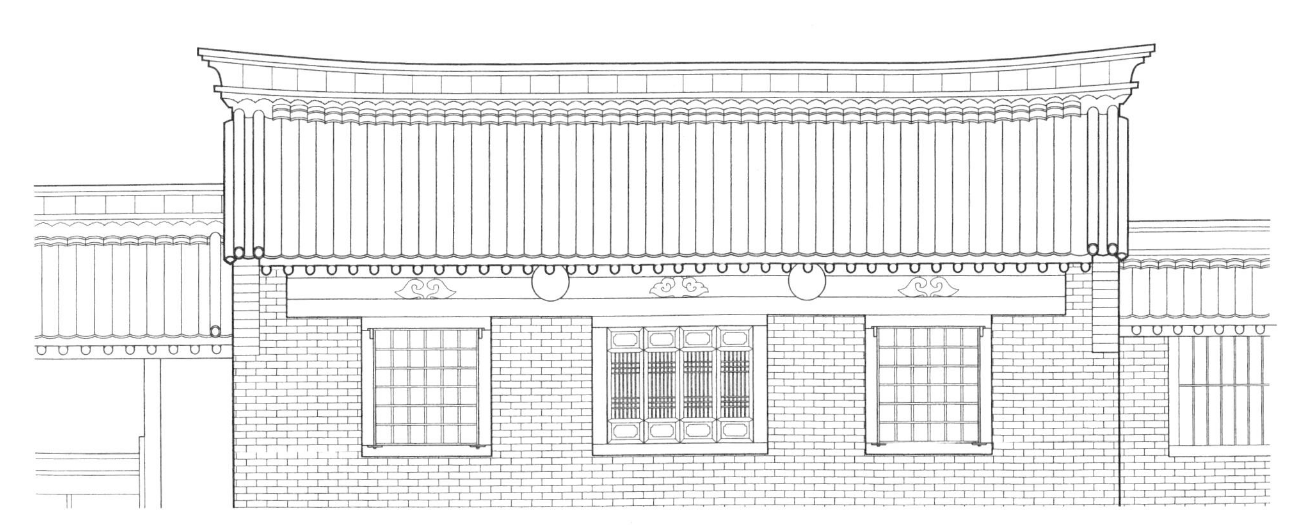

图112 山西沁水西文兴村住宅屋脊图

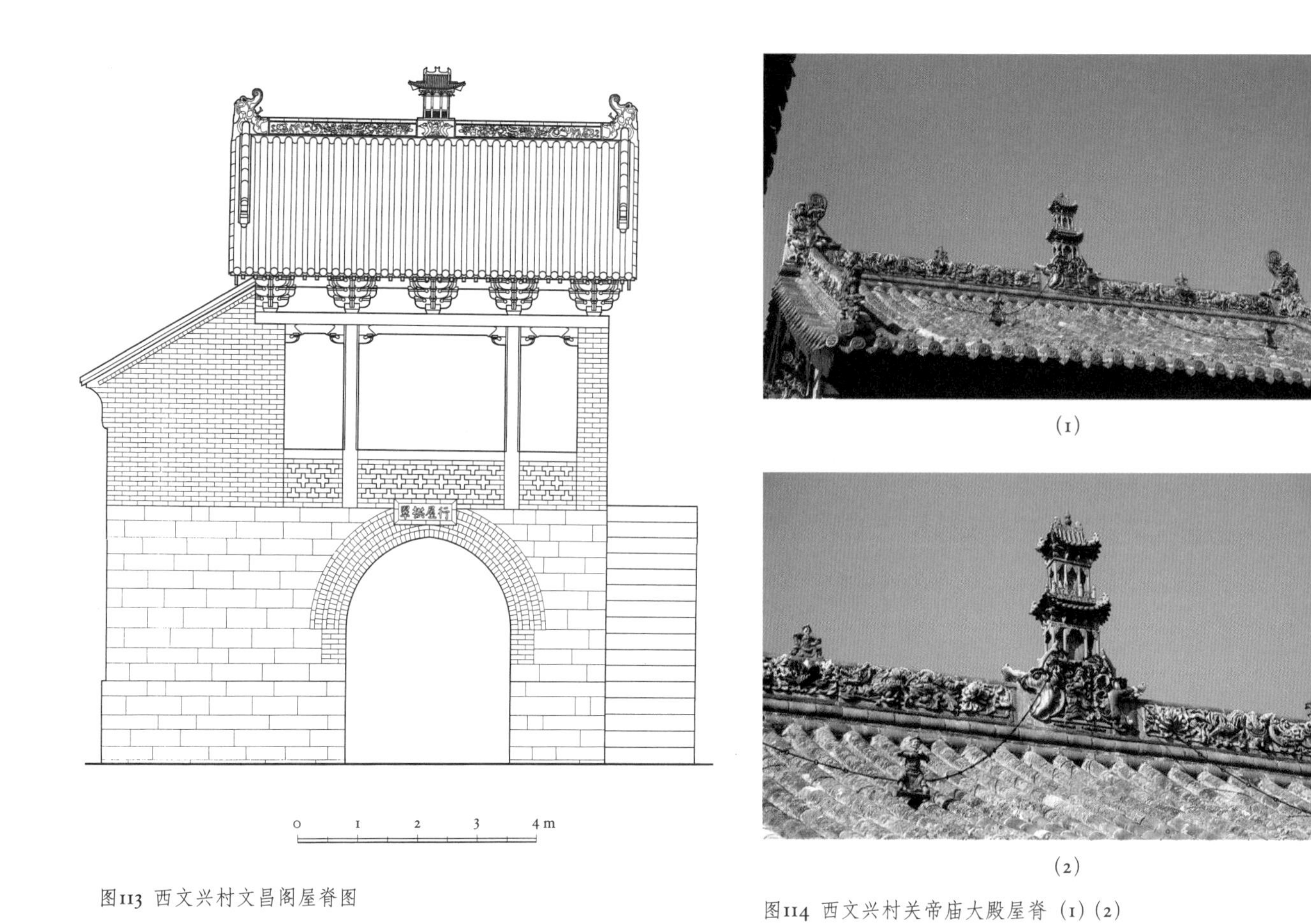

图113 西文兴村文昌阁屋脊图

图114 西文兴村关帝庙大殿屋脊（1）（2）

图115 山西介休张壁村住宅屋脊图

图116 张壁村空王殿屋脊图

图117 空王殿琉璃屋脊

图119 空王殿屋顶正吻

图118 空王殿屋脊的“三山聚顶”

放。整条屋脊用的是蓝、绿、黄、白几种色彩的琉璃，其中的蓝色近似孔雀翼毛之色，故称孔雀蓝，比常见之蓝色更为鲜艳夺目，在其他地区很少见到。这样一条色彩绚丽，内容丰富，形象生动的屋脊，犹如一道天空中的彩虹，在远近的建筑群体中显得十分突出。张壁村还有几座寺庙，当年都用的是彩色琉璃的屋脊，但可惜都已遭到破坏，有一座西方圣境殿的屋脊按原样恢复了琉璃屋脊，脊中央也用了“三山聚顶”的装饰，但在色彩上已烧不出那种亮丽的孔雀蓝了。

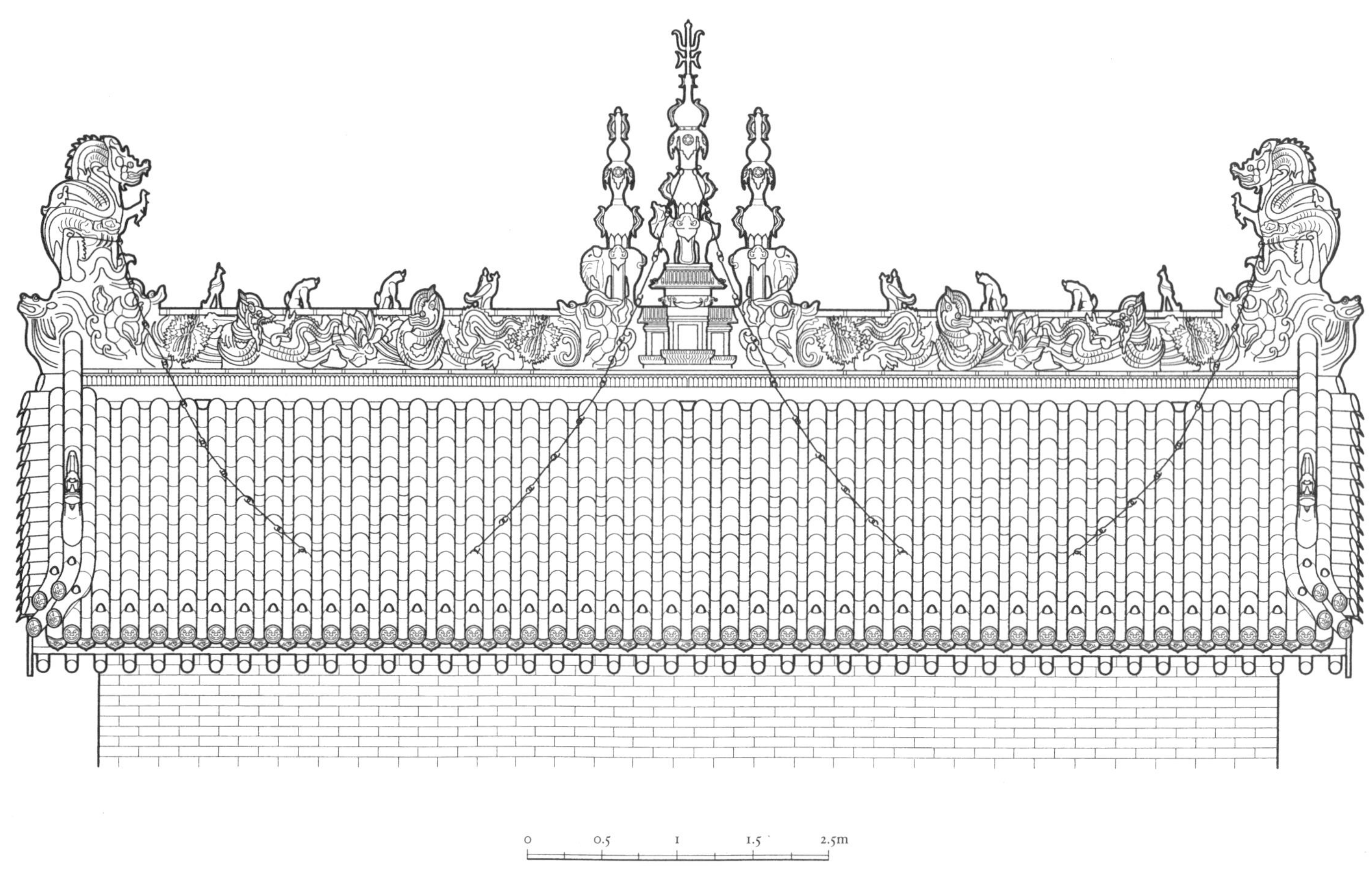

图120 张壁村西方圣境殿屋脊图

图121 西方圣境殿屋脊

图122 西方圣境殿屋脊的“三山聚顶”

现在让我们将目光从北方的山西转向南方的广东，首先也是从一个农村的建筑看起。广东东莞市有一座谢氏家族的血缘村落南社村，村落的总体布局很简单，村中央的水塘自东往西将全村一分为二，沿着水塘两岸布置着近20座大大小小的祠堂，几条街巷均匀地自水塘垂直地通向全村，街巷两边散布着大片住宅。如果登至高处俯视全村，眼前是一片深褐色的瓦顶，两面坡的硬山式屋顶，中央有屋脊，但在大多数住宅的屋顶上只有用瓦铺成的简单正脊，而看不到两端的正吻。只要看到正脊带有花饰，两头有兽类作装饰的，几乎都是祠堂与寺庙。祠堂祭祖，寺庙祭神，祖先与神灵自然比人重要，所以祠堂、寺庙不仅体量比住宅大，而且装修、装饰也要讲究，这里自然也包括屋顶的那条脊。综观南社村那20余座祠堂，大多数为谢氏各分房派所建，有的甚至是一个有权势家庭的家庙，全村只有一座谢氏宗族的总祠堂，即谢氏大宗祠。在这些分祠堂的屋顶上可以见到经过装饰的正脊，用砖瓦筑造，在外面用泥灰塑造出各式纹饰，或

图123 广东东莞南社村俯视

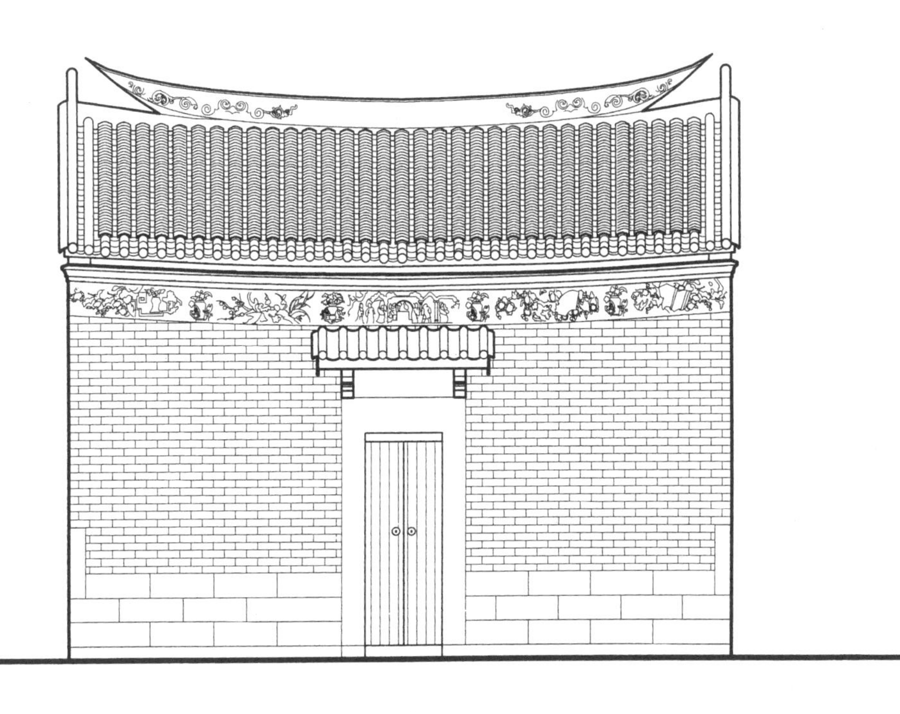

图124 南社村住宅屋脊图

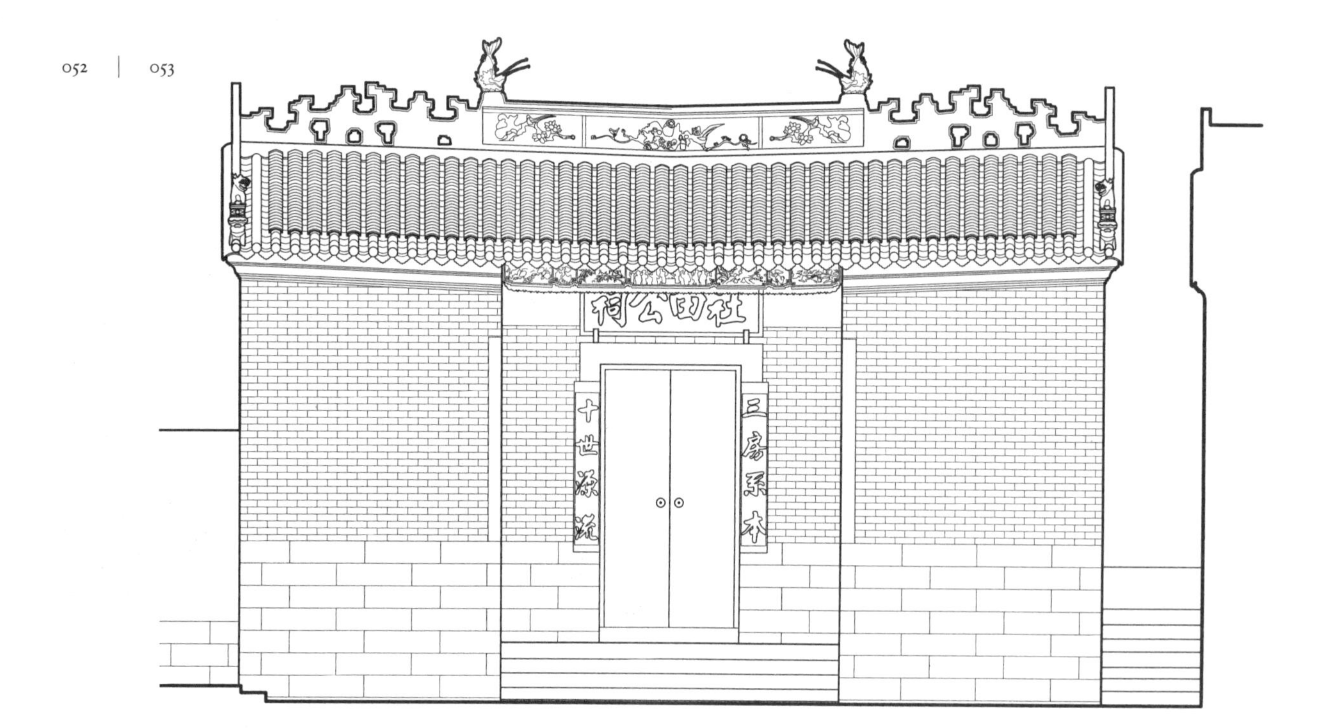

(1)

0 6 m

(2)

图125 南社村祠堂屋脊图（1）（2）

图126 南社村祠堂屋脊

者直接烧出带花饰的陶块在屋顶上拼联而成脊，这样的工艺称为灰塑和陶塑。一条正脊多数分为三段，中间部分长，脊上有龙、鸟等动物和植物花卉组成装饰，在两端有鳌鱼倒立脊上，在中段的两边多用夔纹组成脊身。如果把倒立于脊上的鳌鱼当作正吻的话，那么它的位置不在整条正脊的两端，而是立在脊中段的两边。在众多的祠堂中，谢氏大宗祠规模最大，装饰最讲究，其中门厅的屋顶正脊最为华丽，全部用琉璃砖瓦拼装而成。装饰的总体布局也和其他祠堂一样，分为三段，左右两段为夔纹，中段为主，占全脊的四分之三。在这一段正脊上用琉璃烧制出亭、阁、廊、屋和树木、山、石，在这些小房屋的屋顶上还装饰着五彩花卉，房屋内外有端坐、侍立、相互交谈和迎送的人物共40余位，组成一幅城市的世俗画卷，从形态与色彩上都极富装饰效果。

走出南社村，步入广州市，我们将见到一处更为喧哗的屋脊装饰。广州有一座陈家祠堂，它是广东全省72县陈姓家族的总祠堂，规模自然比一个村的家族

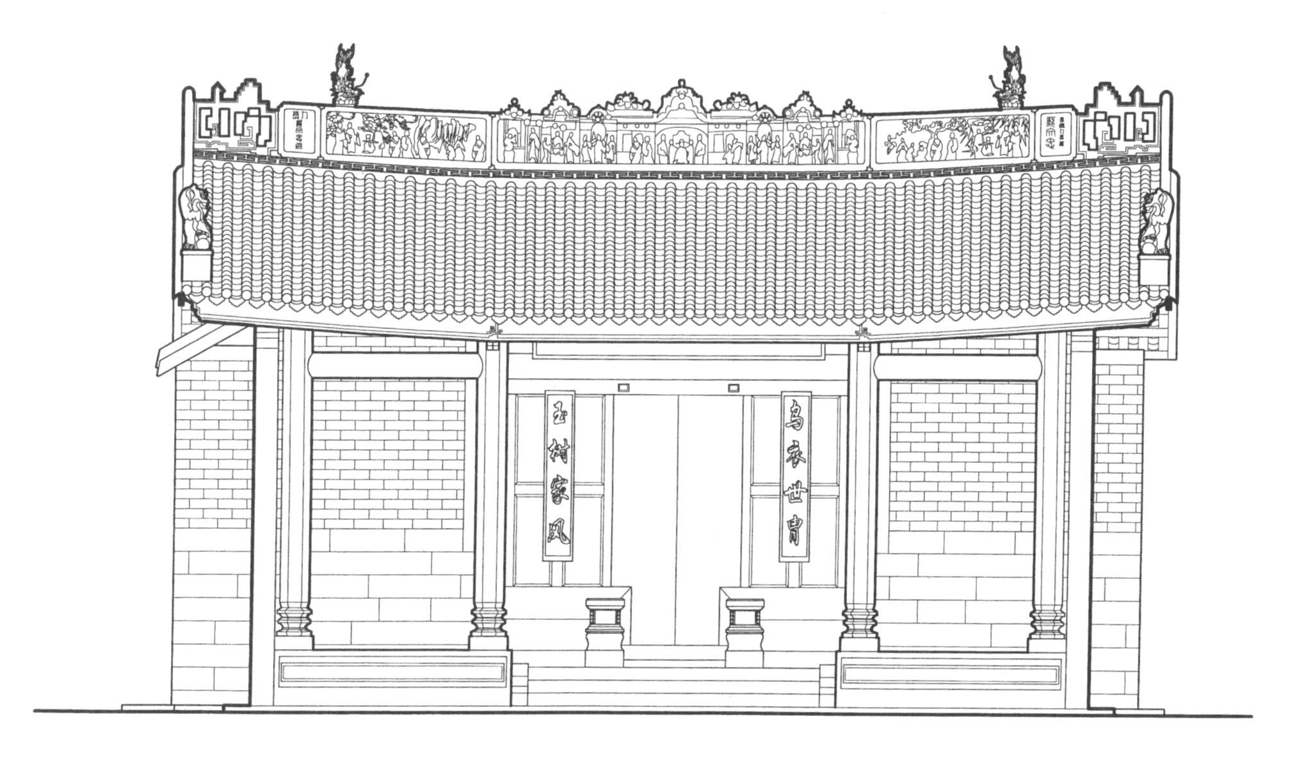

图127 南社村谢氏大宗祠门厅屋脊图

图128 谢氏大宗祠门厅屋脊

(1)

(2)

图129 谢氏大宗祠门厅屋脊局部 (1)(2)

祠堂要大，因为祠堂内设有书院，专供陈氏子弟学习文化，所以又称“陈氏书院”。祠堂前后三进，左右三路院落并列，共有九座厅堂。祠堂广泛采用木雕、石雕、砖雕、灰塑、陶塑、壁画、铸造等多种工艺进行了装饰，所以成为清代建筑中装饰最为集中的建筑之一。尤其是它的屋脊装饰，由于采用泥塑、灰塑的工艺，使它们色彩鲜丽，形态生动，内容丰富，又处于房屋最高处，因而鲜明突出，效果强烈。全祠堂九座厅堂九条正脊，加上院墙门上的屋脊，组成为祠堂上空的一组绚丽彩图。处于祠堂最前方的是三开间的门厅，门厅屋顶的正脊分为上下两层，下层为灰塑的装饰，人物、植物、山石、题字，塑造得十分生动。上层为陶塑的一幢幢店铺房屋，鳞次栉比，排列成一条热闹的商业街，两条鳌鱼倒立于左右两侧。这样的正脊式样在陈家祠堂成了定式，门厅两侧的厅堂、正厅和正厅两侧厅堂的屋顶正脊都是这样，当然其中以正厅屋顶上的最大最讲究。屋脊上下两层装饰相叠，上层由陶塑构成的街道几乎全部为两层楼阁，一幢挨着一幢，而且在每幢前面都有人物在活动，其房屋、人物之多，神态之细，令人眼花缭乱，在目前已发现的古建筑中，这条屋脊真可称得上是装饰之最了。

为了认识屋脊装饰的丰富多样性，还应该注意

图130 广东广州陈家祠堂正厅

图131 陈家祠堂屋脊装饰

图133 陈家祠堂正厅屋脊

(1)

(2)

图132 陈家祠堂门厅屋脊(1)(2)

图134 浙江农村戏台屋脊

一下各地宗教建筑的情况。无论是佛教还是道教的寺观，都比一般住宅讲究，它们的屋顶屋脊像各地祠堂、神庙一样也都进行了装饰。综观这类建筑，它们的正脊中央多会出现一组装饰，简单的只用瓦片垒起一组花饰，但大多由莲座和宝瓶构成，有的也会做成更富有宗教内容的楼阁或者小佛塔的形式。高耸的装饰两侧多有小兽作点缀，甚至用双龙左右相护，有的干脆在正脊上加一组双龙戏珠的装饰。正脊两端的正吻形式更无定式了：有嘴叼正脊、倒立脊背的鳌鱼；如果用龙体作吻，也多不是只有龙头、龙尾的鸱吻形

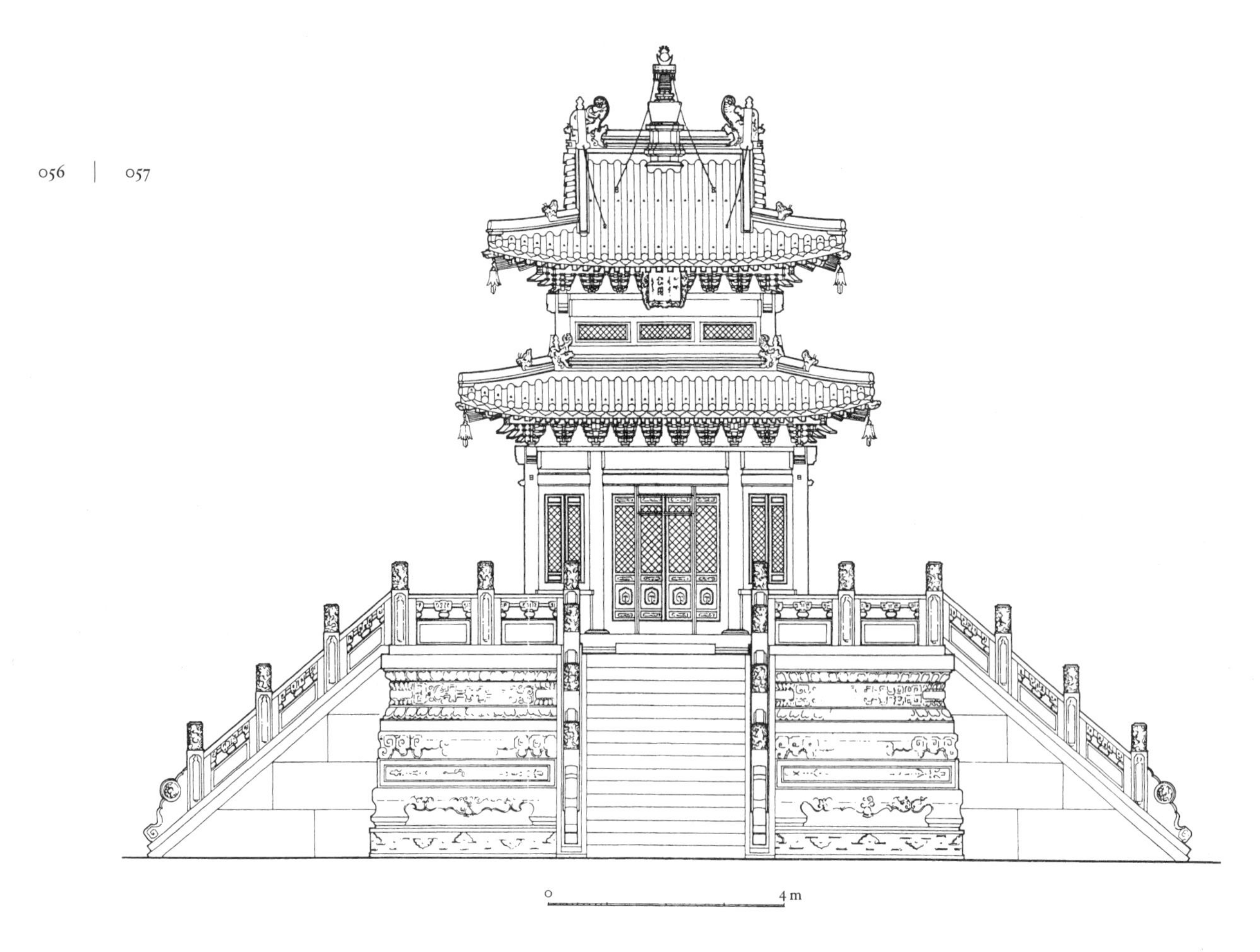

图135 北京颐和园五方阁佛寺宝云阁屋脊图

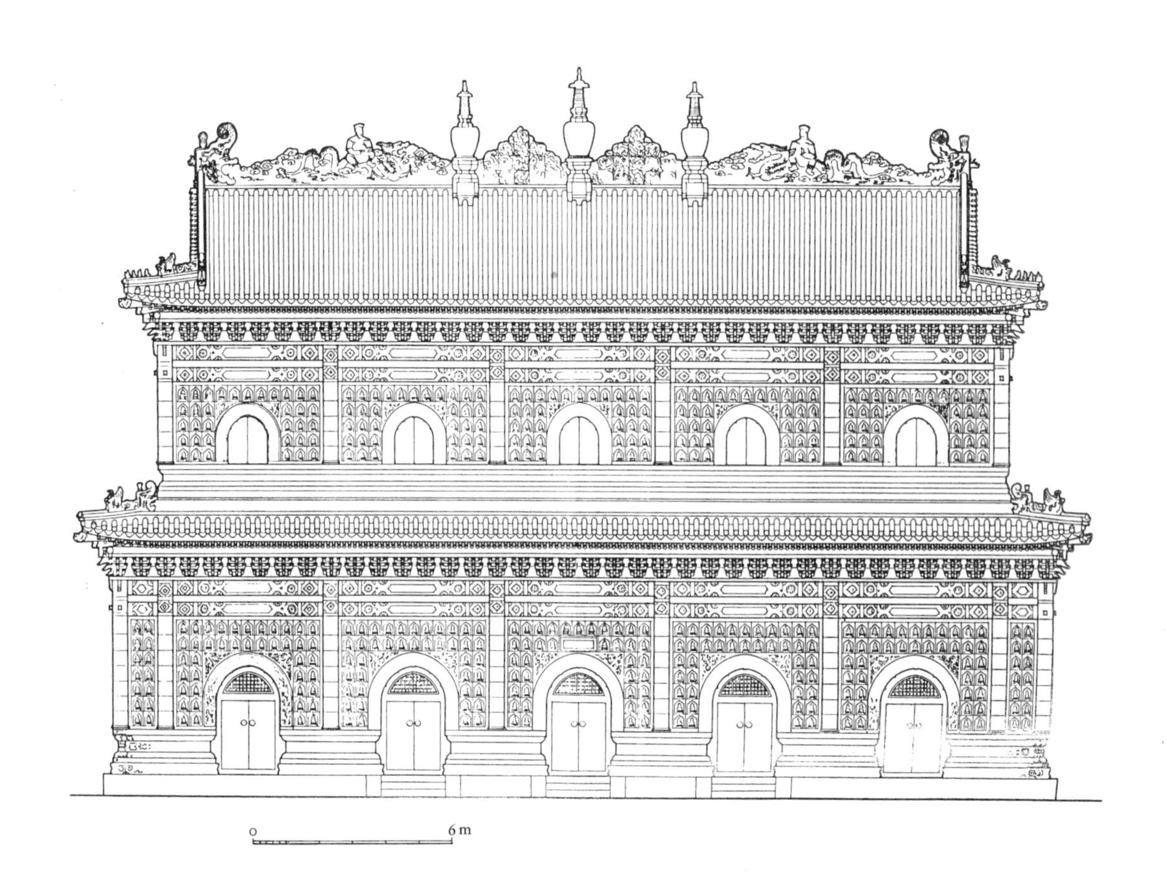

图136 颐和园智慧海屋脊图

(1)

(2)

图137 智慧海屋脊（1）(2)

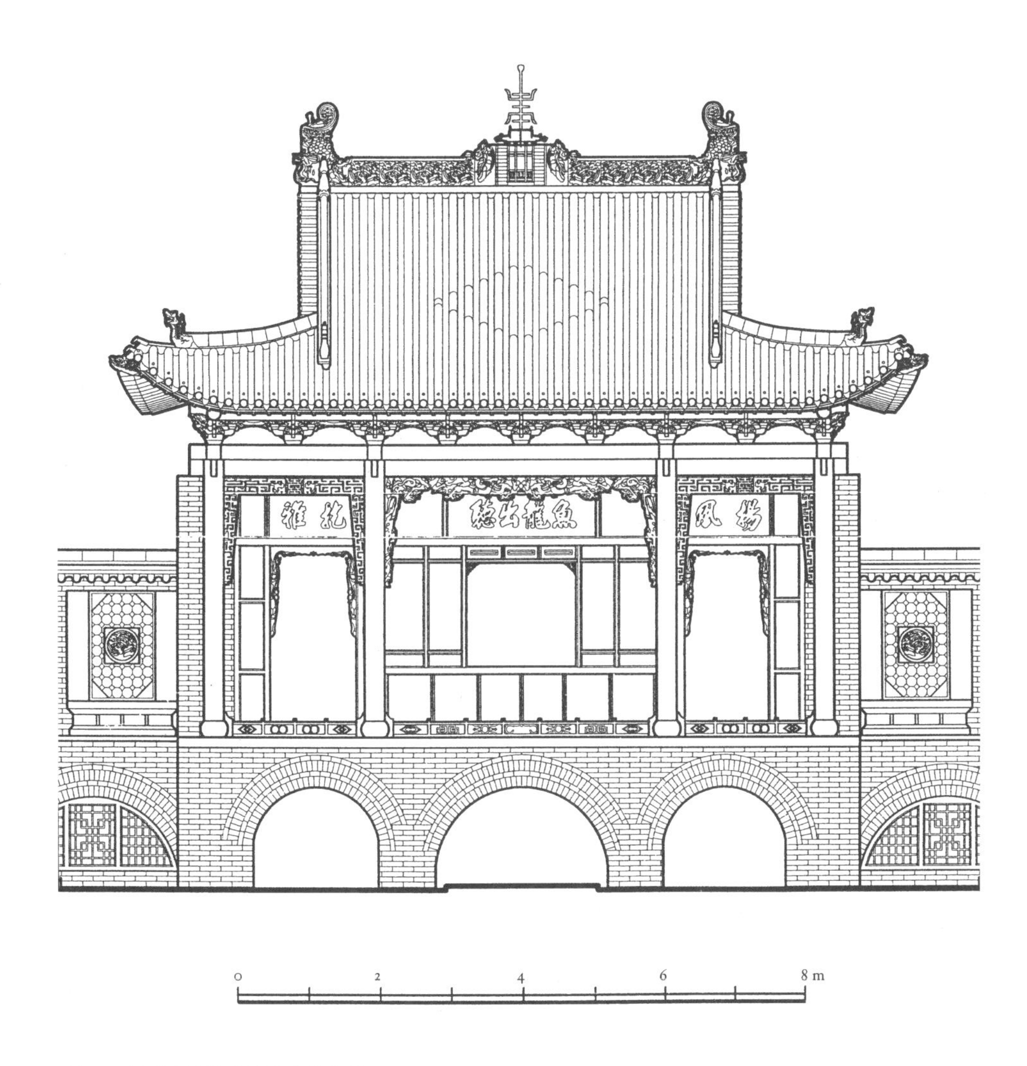

图138 山西碛口黑龙庙戏台屋脊图

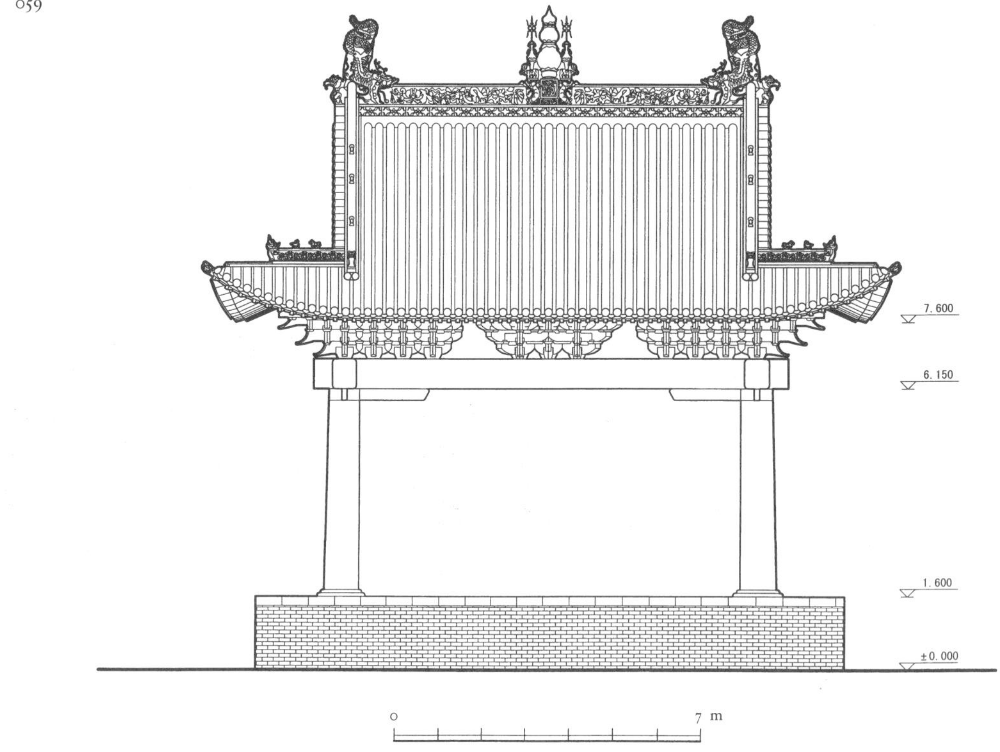

图139 山西翼城武池乔石泽庙戏台屋脊图

(1) (2) (3)

(4) (5)

图140 各地寺庙大殿屋脊 (1) (2) (3) (4) (5)

(1) (2)

(3) (4) (5)

图141 各地寺庙大殿等建筑双龙戏珠屋脊（1）（2）（3）（4）（5）

(1) (2)

图142 广东东莞南社村祠堂屋脊鳌鱼（1）（2）

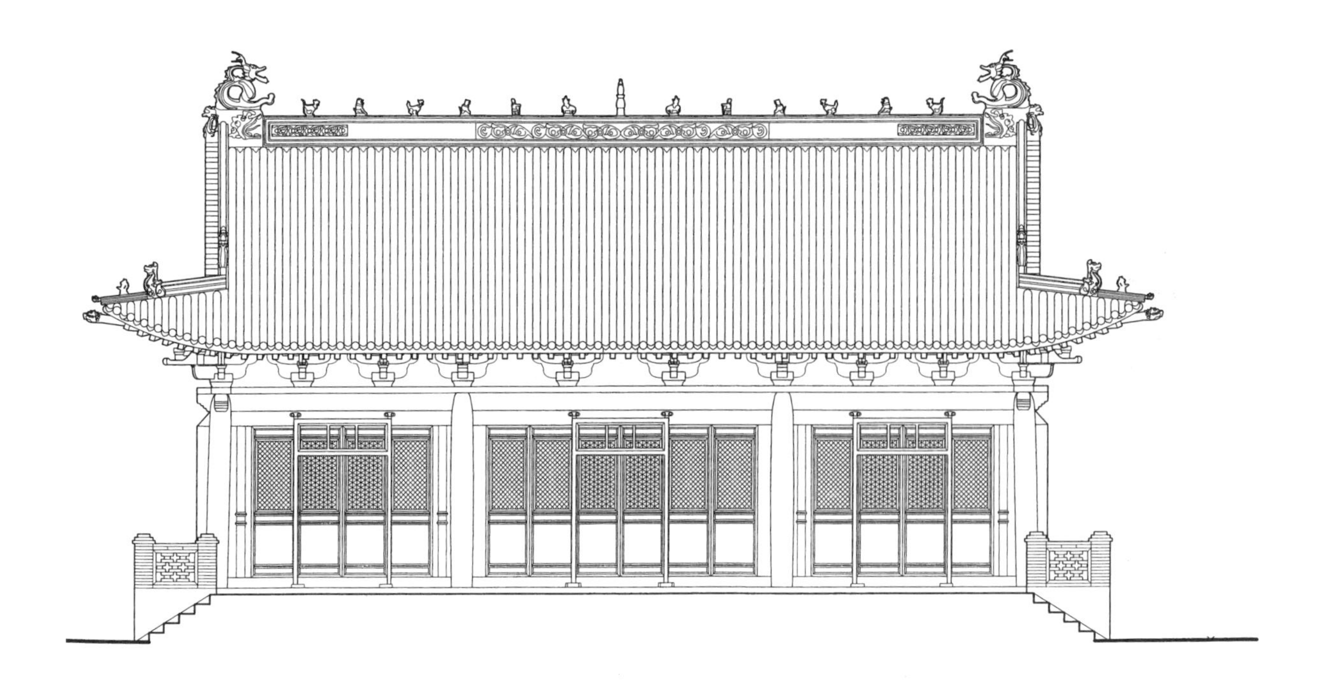

图143 河北蔚县释迦寺屋顶龙形正吻图

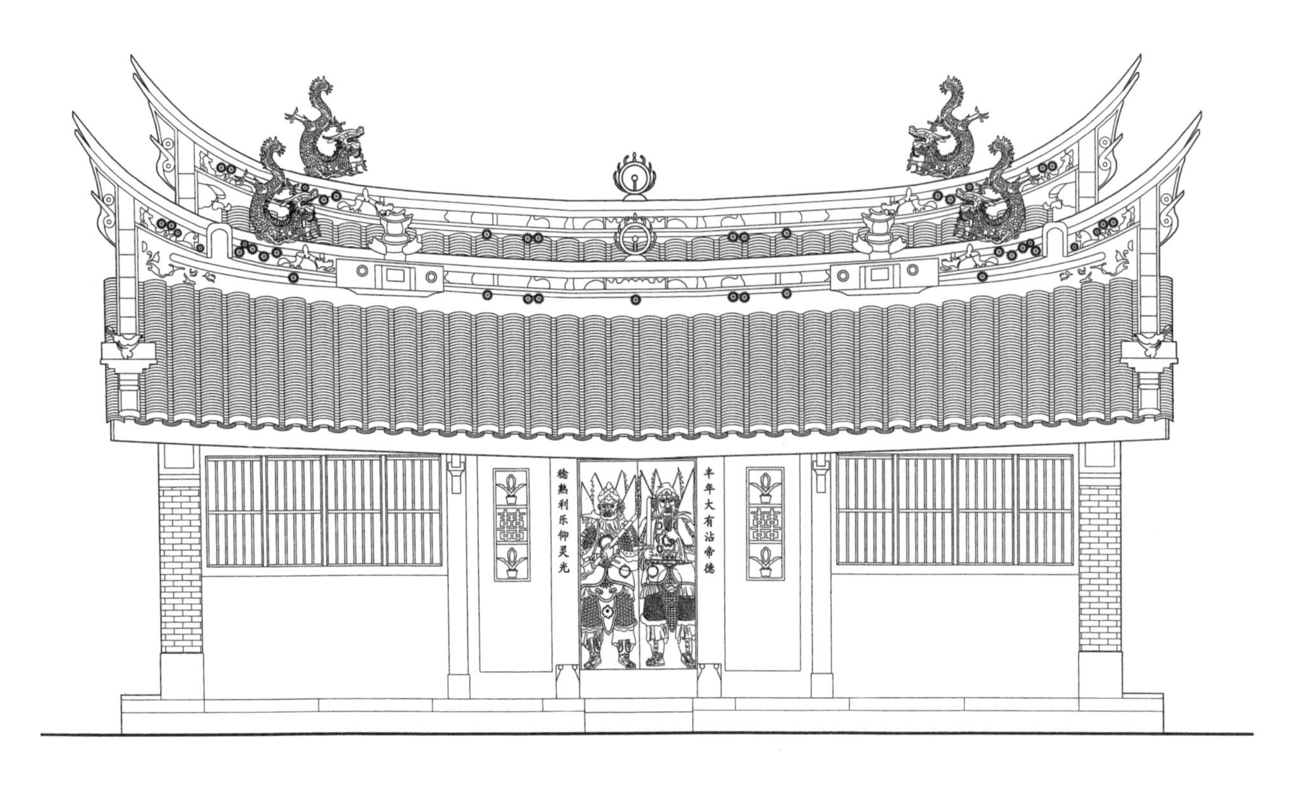

图144 福建南靖石桥村水尾庵龙吻图

图145 石桥村水尾庵龙吻

图146 山西五台显通寺铜殿龙形正吻

象而用整条龙体作装饰了，它们的姿态有伏身脊上作安卧状者，有曲身作行进状者，也有龙头朝下，龙身凌空倒立，龙爪作飞舞状者，造型依屋顶的装饰要求而定，十分自由。

在佛教建筑中，流行于西藏、青海等藏族地区的藏传佛寺和云南傣族地区的南传佛寺具有与汉传佛寺不一样的形制。藏族地区多山地，产石材，所以建造房屋多用土与石料，加以佛寺需要容纳众多僧人，寺庙多依山势连片而建，房屋多用平屋顶，但是在比较大的寺庙中，多有一座主要殿堂采用坡屋顶以突出它的形象。例如，在西藏布达拉宫、大昭寺、扎什伦布寺等重要佛寺中都有这样的殿堂。这些重要的大殿多采用歇山式屋顶，顶上满铺金瓦，正脊上多用宝瓶作装饰，一般宝瓶用3个，中央的大，两边的略小。宝瓶为佛教八宝之一，用在屋脊上自然具有佛教内涵，同时它的形象富有变化，金色的屋顶，在屋脊上又竖立着金色的宝瓶，在西藏特有的蓝天衬托下，使这座大殿的形象特别鲜明突出。

云南西双版纳傣族聚居地区流传南传佛教，在古

图147 南方佛寺正脊龙吻

图148 西藏拉萨大昭寺大殿屋脊装饰

时几乎全民信教，佛寺遍布城乡。这里的佛寺因为供奉的佛像高大，因此寺中大殿也随之有较大的体量，为了减小笨拙感，有时将硕大的屋顶分作上下、左右几个部分，所以也使屋顶上的正脊左右分为几段。屋脊不高，但脊上多遍设装饰，常见的形式是脊中央有突起的刹杆，讲究的也有用小塔的；脊两端用兽类作正吻；二者之间满布由植物枝叶组成的小装饰。除了细高的刹杆外，这些装饰体量都不大，加以屋顶距地面又高，所以它们远没有藏传佛寺大殿正脊上的装饰那么显著，它们只是屋顶上的点缀，起到使长条的屋脊不显得那么单调的装饰作用。

(1)

(2)

图150 西双版纳南传佛寺大殿正脊中央装饰 (1) (2)

以上我们大致浏览了从乡村到城市，从普通住宅、祠堂到寺庙、宫殿诸种类型建筑上的屋脊形态。现在可以从中探讨这些不同形态的屋脊所以产生的原因，从而更深入地认识它们的价值。

(1)

(2)

图149 云南景洪西双版纳南传佛寺大殿屋脊装饰 (1) (2)

首先可以看到，建筑类型的不同会出现不同的屋脊装饰。在城乡各地大量的普通住房上出现的多为很简单的，几乎是没有装饰的房屋正脊，除非在少数具有财势的官吏、富商、地主的规模较大的住宅上也能见到经过装饰的正脊与正吻。但是在寺庙、祠堂、会馆、商铺等一些公共性建筑上，为了宣扬宗教，显示家族地区的势力和召唤商业买卖，都会很注意处于房屋最高处显著位置的正脊和正吻的装饰。这里有一个特别的现象值得注意，这就是宫殿建筑正脊的形象。宫殿是封建王朝最重要的建筑，因为它们可以集中使用一个时代最贵重的材料，最精湛的工艺，最大量的钱财，从而创造出代表那个时代最高建筑技术与艺术水平的作品，因此这些宫殿的屋脊、正吻理应具有十分多彩的形态，但是奇怪的是我们在宫殿建筑集中的北京紫禁城里，看到的却是很简洁的屋顶正脊和几乎是单一形态的正吻。产生这种现象的原因是中国长期封建社会都是以礼制治国。礼是一种规矩，一种有等级的次序，一座朝廷宫城紫禁城近千幢不同功能不同大小的建筑都要按照礼制排列布局，它们的尊卑关系通过建筑组群的规模、建筑个体的大小、建筑屋顶的形式表现出来，不需要再从屋脊的装饰来区分高低了。在紫禁城这样的环境里，既要表现严格的等级礼制，又要保持宫殿的整体性与严肃性，它不需要表现佛国繁华世界的那种多样装饰的屋脊，也不需要表现家族财富的那种热闹街面似的屋脊，更不允许表现民俗文化的那种随意装饰的屋脊。所以看似十分简洁的，光秃的屋脊，造型统一的正吻，但是它们完全融入每一幢宫殿屋顶的整体之中，从而构成了紫禁城特有的宫廷形象。

讲到建筑类型对屋脊形态的影响，还可以举出门头屋脊的例子。门头是附在建筑院门上的一种装饰，它起源于真的大门门头。古代早期建筑的院门都是在院墙上开一个口，两边立木柱，柱上架横梁，柱间安上可以开关的门扇即构成大门。为了使进出大门的人避雨雪，有的在门上加建一个坡形屋顶，因为它处于大门的头上，所以称为“门头”。这种门头有简有繁，讲究的还用斗栱支持起屋顶，梁枋上还刻出木雕，因此门头不仅有实用功能，同时也有了装饰作用。随着建筑的发展，这种院门也有了变化，除了高出院墙的大门外，也出现了附在高院墙上的大门，这类大门上的屋顶变为从院墙挑出的一面坡了。还有的干脆不要这挑出的屋顶，而只在院墙上做出屋顶的式样。于是具有实用功能的大门门头变成只有装饰作用的门头形式了，但是它们的那条正脊始终保存在门头之上。这种门头有木结构的，也有用砖筑造的，但它们的屋顶和正脊所用的材料仍为砖瓦，与一般屋脊不同的是，如今它们都紧贴在墙面上而不凌空而立了。正是由于门头的这个特点，带给了塑造门头上正脊正吻形象的自由与方便。在这里，弯弯起翘的屋脊曲线造型更为随意了，两头的动物、植物、几何的形体由立体雕塑改为附在墙上的浮雕了，因此它们的形象更加多彩，也不必担心翘角的尖端会折断，口叼正脊的鳌鱼会跌落。为了加强屋脊的装饰效果，有的在门头上方用上下相叠的双层屋顶，形象更为丰富，这也是门头这种特殊类型所产生的结果。

第二，不同地域的建筑也会产生不同的屋脊形

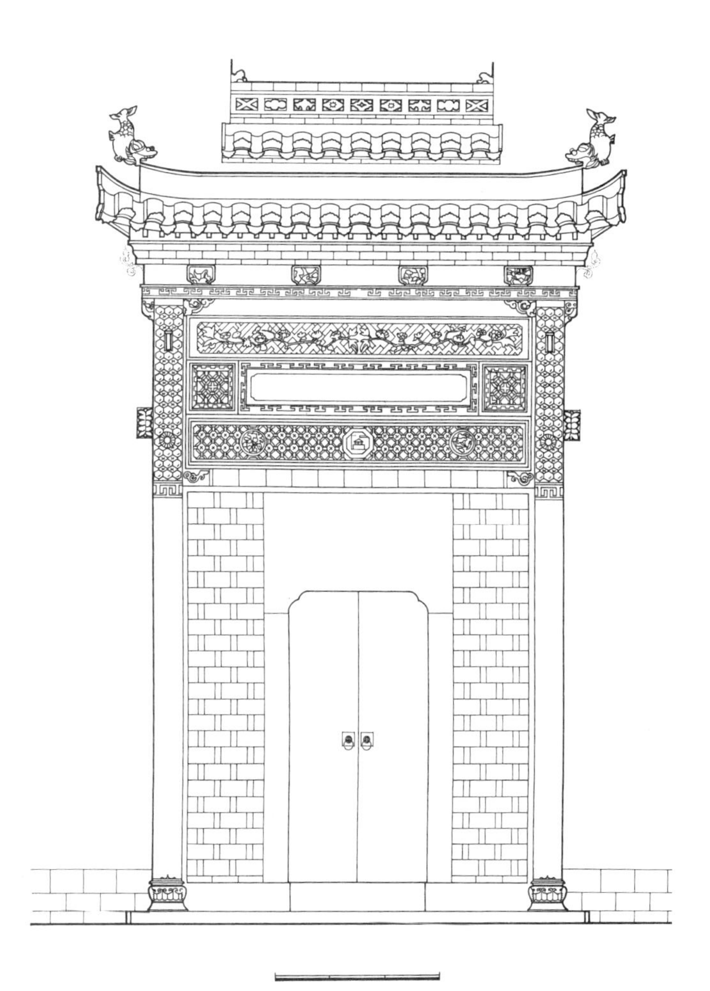

图151 江西婺源农村住宅门头屋脊图

(1)

(2)

图152 江西景德镇住宅门头屋脊（1）(2)

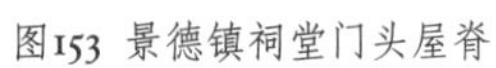

图153 景德镇祠堂门头屋脊

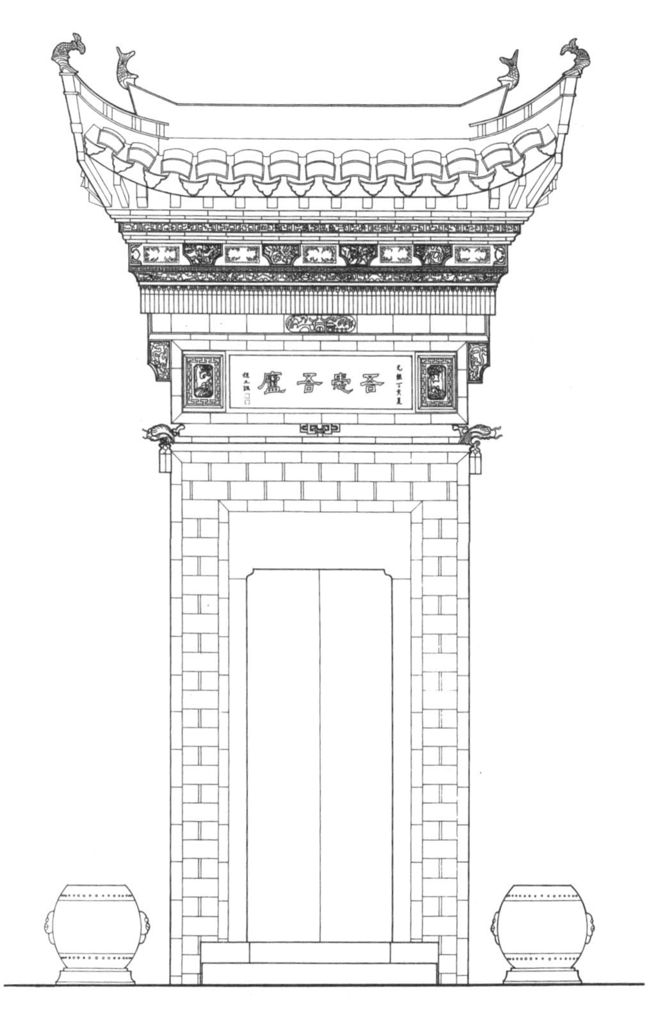

图154 安徽黟县关麓村住宅门头屋脊图

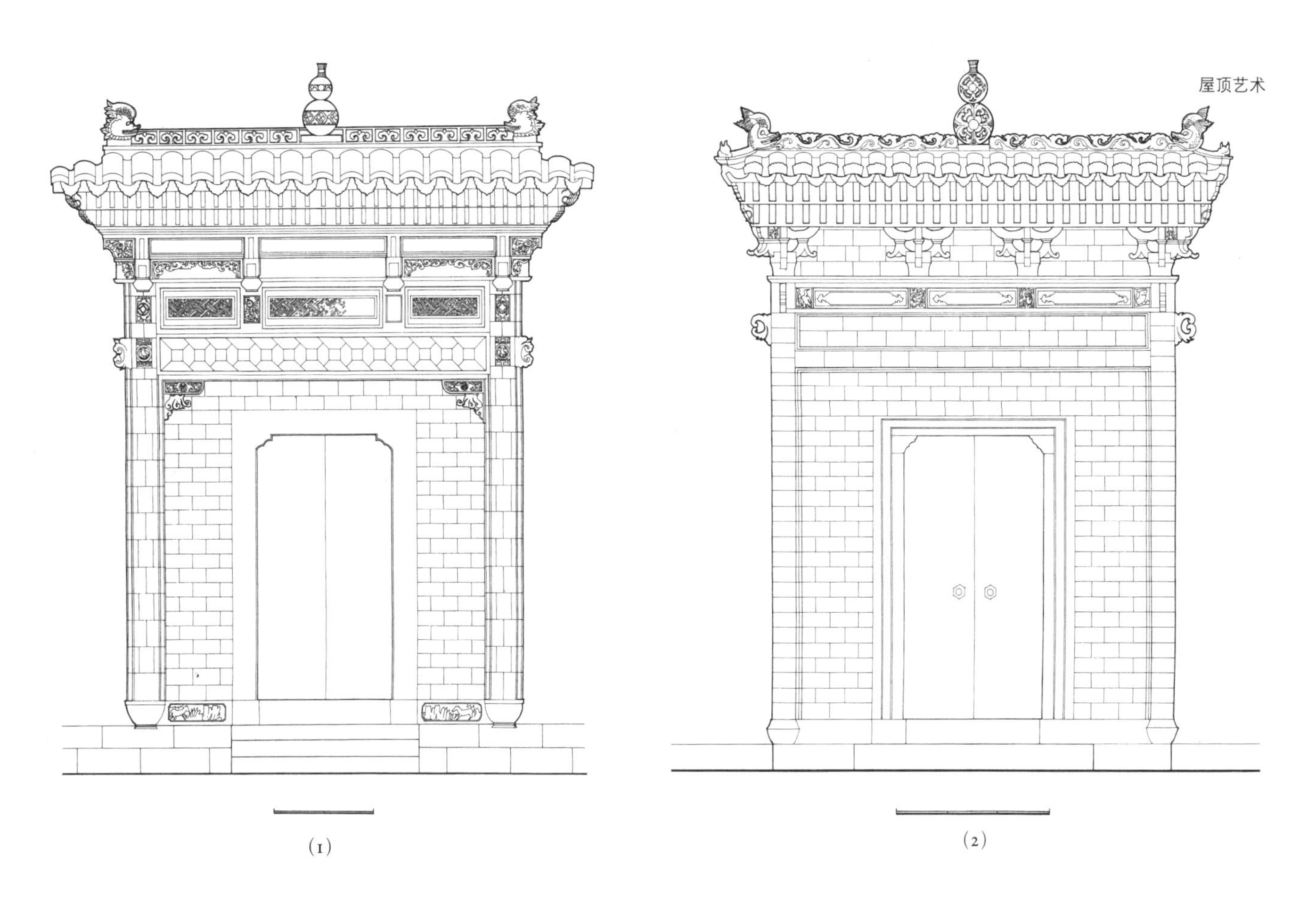

图155 浙江兰溪诸葛村住宅门头屋脊图（1）（2）

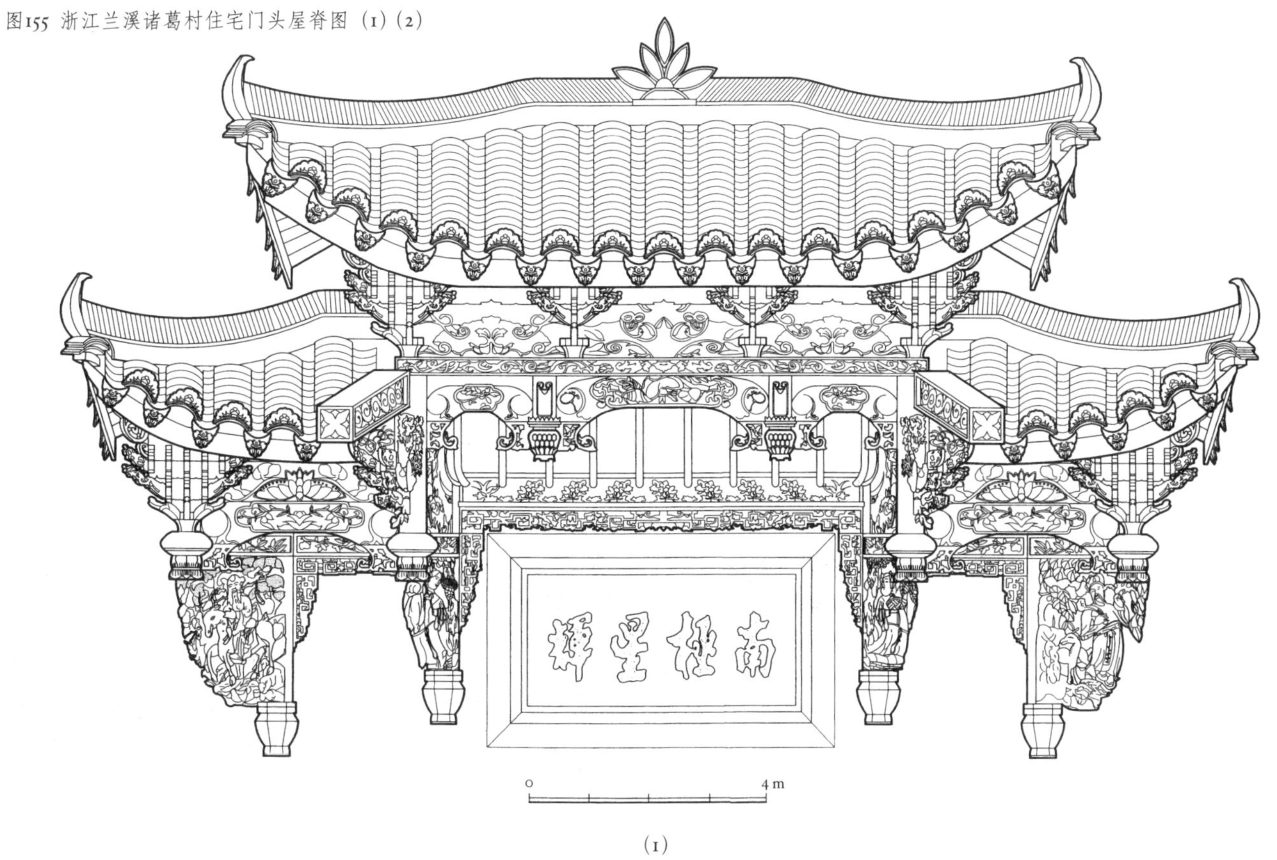

图156 浙江江山廿八都镇住宅门头图（1）

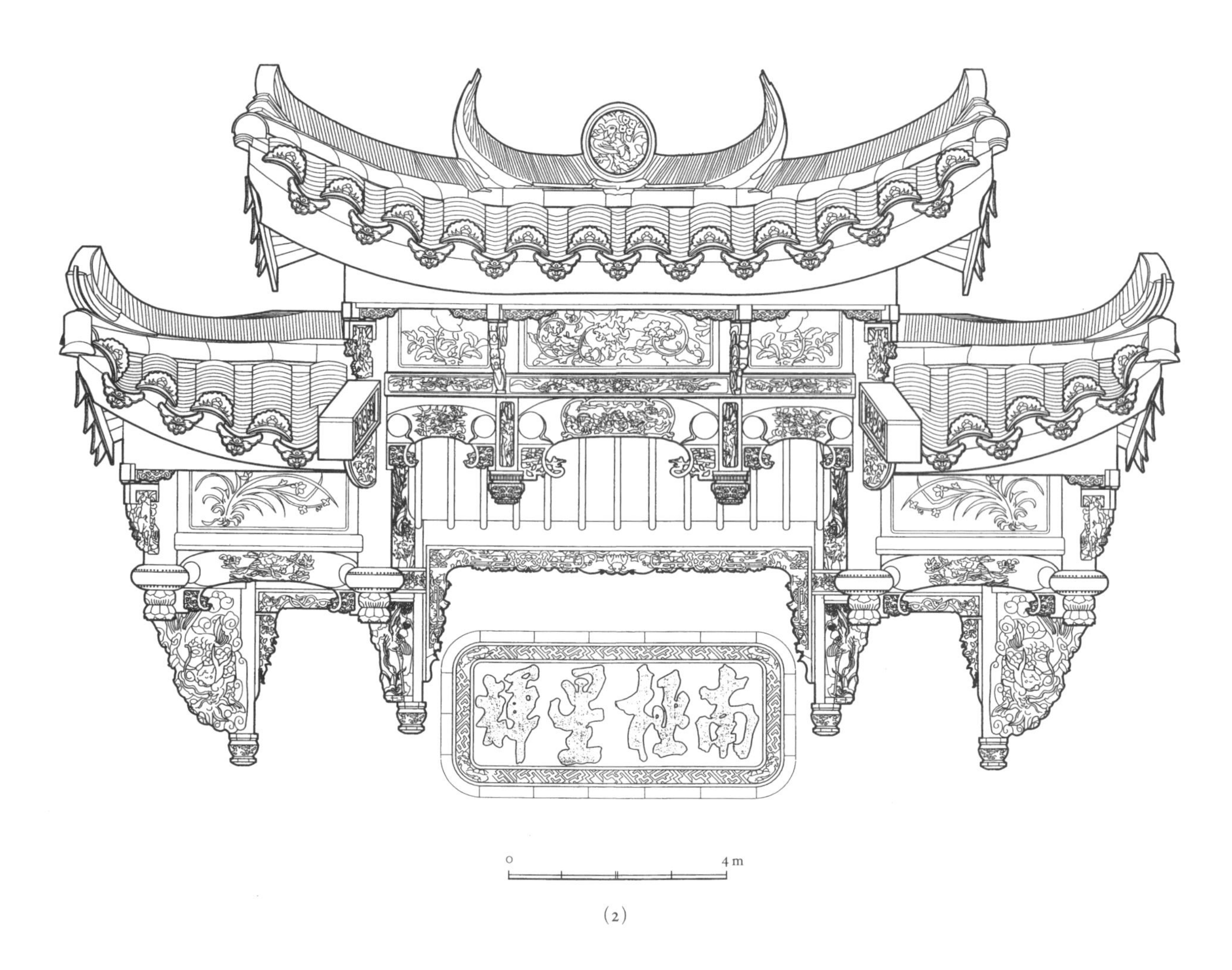

(2)

图156 浙江江山廿八都镇住宅门头图（2）

(1) (2)

图157 廿八都镇住宅门头屋脊（1）(2)

象。从物质上讲，不同地域具有不同的地理环境，提供不同的自然资源。从文化上看，正是这些自然环境上的不同，因而会产生民俗民风、心理、信仰等方面的差异。长期处于封建社会的古代中国，由于对外的闭关自守，对内的难于交流，更使这种差异长期存在，并且也会表现在建筑上。

我们先从物质层面来看。处于北方的山西，就其和建筑业有关的自然资源，一有取之不尽的黄土，二有蕴藏量十分丰富的煤矿，有燃料有黄土就可以烧出砖瓦，所以自古以来山西盛产砖瓦，并且也善于烧制琉璃。从平遥古城到广大农村，除了少数十分贫困的黄土山区居住在土窑洞里以外，无不都是大片的砖瓦房，为了节约木料，有的住房完全用砖墙和砖券做顶，成了地面上独立的砖窑洞。那几座留存下来的乔家、王家、渠家大院，向我们展示的更是由砖瓦堆砌出来的建筑杰作，那坚实的砖墙、瓦顶，那精湛的砖雕栏杆与影壁，那形态生动的正吻与瓦饰，它们一方面向人们显示出一代晋商的财富，同时也表现出古代工匠在运用砖瓦上的杰出技艺。当然，山西的传统琉璃技术为进一步表现建筑的艺术性提供了更好的条件。在山西城乡各地的寺庙、祠堂的屋顶上可以见到许许多多用琉璃制作的屋脊，那些形态各异的正脊与正吻进一步显示了当地工匠的智慧与才能。

处于南方的广东，出现了前面所讲的东莞市农村祠堂和广州市陈家祠堂那样华丽的脊与吻，如果与山西建筑的脊吻相比，在植物、动物、器物的刻画和人物的塑造上，广东地区的都要细致得多，色彩也更为鲜艳而多样。这种现象的产生无疑应该归功于当地的传统工艺——陶塑与灰塑。广东地区具有悠久的陶瓷制造历史，广州附近的石湾的制陶业更是远近闻名。陶瓷的原料是当地盛产的陶土，用陶土和水能够塑造成各种人物、动物、植物，以及自然山水、建筑的形象，待风干后在它们的外表涂以色釉，放进窑内经过高温烧制而成为陶瓷，根据色釉的不同可以烧出黄、绿、褐、蓝、白等不同的色彩。因为这些陶瓷的形状都是对陶土进行塑造而制成，所以称为陶塑。石湾地区的陶塑形象生动，色彩鲜艳，制作精良，很早就被用在房屋的屋脊上，工匠按主人的要求对陶土进行塑造、上釉，然后将整条屋脊分成小块送进窑烧制成陶瓷后，再在屋顶上拼装成脊。因为形象华丽，所以在当地被称为“花脊”，这种花脊的制作至今已经有近400年的历史了。

灰塑是一种以石灰为原料进行人工塑造形象的工艺。石灰或者用贝壳磨碎而成的贝灰用水浸泡，和以纸筋或者稻草而成为纸筋灰或草根灰，为了塑造形象的坚固还要加入少量糯米粉以增强灰浆的胶黏度。用这种灰泥直接在需要装饰的部位进行塑造，待装饰成型晾干后再在表面上色。灰塑的优点是原料廉价，工艺简单，不需要烧制，形象塑造更为自由，但缺点是不如陶塑那样结实，经不起风吹雨淋，容易产生表皮脱落，甚至内部松散的现象，同时在形象的塑造上也不如陶塑那样细致，比较适合塑造体量大而较粗糙的作品。在广州陈家祠堂诸座厅堂的正脊上都同时应用了陶塑与灰塑，上下两层相叠加。下为灰塑，塑造体态比较粗大的人体、花树与山石等；上为陶塑，烧制出细致的房屋、人物等景象。下粗上细，组合成一条造型稳重的长屋脊。

第三，不同地区的文化特征对房屋屋脊装饰的影响。上面讲了不同地区的物质条件对屋脊的影响，其实一个地区的文化特征往往更直接地会在屋脊装饰上表现出来。

广东地区近海，广州市很早即成为对外的通商口岸，明、清以来外商涌入，该地区华人也大量外出，一方面促使了经济发展、财富增加和中外的交流，同时也在大众的思想意识中增添了商业性与功利性。所有这些物质与精神的因素都会在建筑上有所反映，如建筑中出现了商场、货栈等新的类型，建筑装饰中喜用海神、水神和各种财神的形象，连陈家祠堂房顶上的条条屋脊也表现出这种现象。例如，正脊上出现了用陶塑烧制成的长条商业街和街上熙熙攘攘的人群；除了中国传统的商铺、楼阁、亭台之外，也出现了西方建筑的立柱；在灰塑的装饰中出现了广州的地方景观和当地的植物、瓜果。这里产生了一个问题：山西的晋商，同样受到商业文化的影响，同样具有丰厚的财力，同样建造了讲究的钱庄、商号和住宅大院，但为什么在这些建筑的屋顶上见不到广东祠堂这样的屋脊呢？前面所说的两地建造屋脊所用材料不同，但山西的砖与琉璃也一样可以雕刻和烧制出脊上一条街，而我们见到的山西屋脊，包括几座讲究的大晋商的住宅大院在内，大多数都只在正脊上有一些砖雕的植物装饰和两端的龙头正吻。在一些寺庙、祠堂殿堂的屋顶上才能看到龙和人物组成的装饰。可以这样说，这里的屋脊大多数都保持着宫殿建筑上屋脊的简洁形式，在少数重要建筑上也都是用传统的文官、武将，龙、狮、麒麟等人物与动物装饰，尽管也出现如“三山聚顶”这样的地方特征，但总体上远没有广东地区那么开放，那么敢于突破传统，创造自己地区的独特形式。出现这种现象的原因是多方面的：这里有因为地域的特征、气候的不同而造成人们生活习俗的差异，有建筑材料、技艺的不同从而产生建筑形态的多样，更有在种种物质环境的条件下产生的各地区文化和人们心理上的不同特征，等等。所谓“一方水土养育一方人”，北方的严整、保守和南方的灵活、开放在一条屋脊上也会表现出来。

图158 山西灵石王家大院

图159 山西介休张壁村寺庙屋顶

瓦当、滴水与小兽

瓦当、滴水

瓦当是什么？它是怎样产生的？

在古代，瓦当是置于房顶屋檐处筒瓦的专门名称。筒瓦呈半圆弧形，弧形在上，覆扣在屋顶的仰瓦之上，一块接着一块，从屋脊直至檐口，为了保护屋檐下椽子等构件免遭风雨侵蚀，所以檐口的筒瓦都在顶端连着一个瓦头与筒瓦面略呈垂直关系，因此瓦当又称瓦头。

在中国原始人类的住屋有穴居与巢居两种类型，它们构筑的方式固然不同，但都有屋顶部分，据考古学家研究推测，它们都是在树干结成的骨架上铺设茅草而成顶，古人称“茅茨”之屋。还有一种是用树

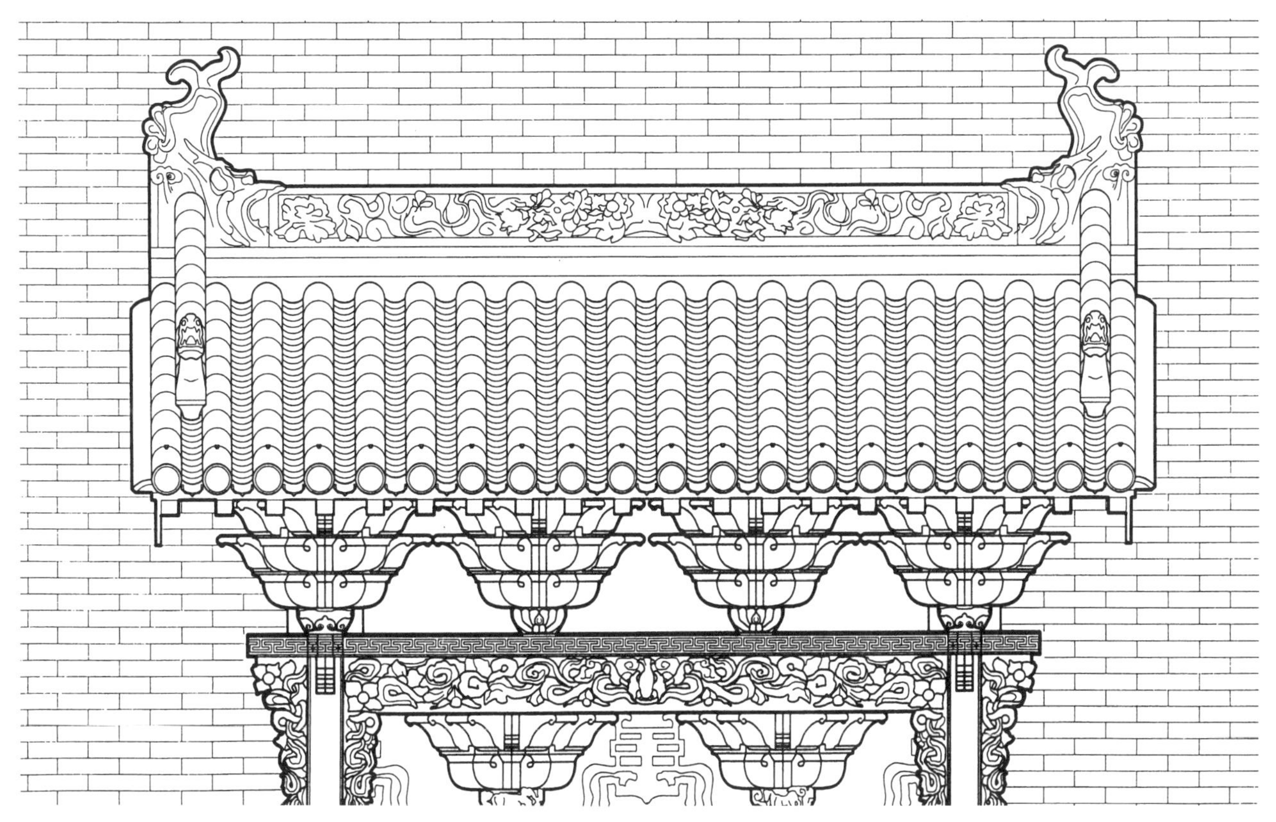

图160 屋顶瓦当滴水图

干、树枝扎结成型，尔后在上面涂抹泥土而成屋顶，这种抹泥屋顶比茅茨之屋的防水性能要强一些。

中国古代远在新石器时代（约1万-4000年前）的仰韶文化时期就掌握了制陶技术，出现了陶制的各种生活用具，但是用泥土烧成瓦用在建筑上还是在商代（约公元前16-前11世纪）晚期。那时，瓦只用在房顶的屋脊和天沟的位置，这对于原来“茅茨”屋的防水性已经有很大改进。根据考古发掘出来的周代建筑的陶瓦，可以得知西周（约公元前11世纪-前771年）中期房屋屋顶已经可以满铺陶瓦了。屋顶上成排的筒瓦，到了屋檐处，它们的瓦头挑伸在外，垂直于地面组成十分醒目的屋顶镶边。我们从大量的周代、秦代、汉代遗留下来的瓦当上，可以看到这些筒瓦头都雕刻有动物、植物等纹样，也就是说，古代已经把这些受人们注意的、处于屋顶檐口部位的瓦头作为装饰的重要部位了。原来瓦当是檐口筒瓦整体的名称，后来将有装饰的筒瓦瓦头部分直接称之谓瓦当。在早期建筑实物遗存很少的情况下，它们成为认识古代建筑十分珍贵的史料，瓦当上的装饰，不论是文字、动物、植物的形象无疑都记录着一个时代的政治与文化，而且在表现的内容与形式上，又具有与古代陶器、铜器、漆器等不相同的特征，因此与古代彩陶文化、青铜文化、漆文化一样，学界也把它们称之为“瓦当文化”。

瓦当文化受到学者重视始见于北宋，欧阳修著《砚谱》中传录有“羽阳宫瓦”十多枚，至清乾隆时期出现有学人朱枫著《秦汉瓦当图记》，带动了清代对瓦当文化的收录与研究之风。由于前辈学人的努力，使我们今日能够饱览古代遗留至今的众多瓦当，并得以研究与认识它们的价值。

自西周至秦、汉各代留存至今的应该可以说是中国最早期的瓦当了，这些半圆和整圆形的瓦当上几乎都有花纹装饰，如按它们的内容归类，总体上可以分为用文字的“字当”和用各种图画形象的“画当”。字当在早期瓦当中占相当的数量，字当中按文字的表述内容又可分为建筑名称、吉祥语和记事这样几类。瓦当用在房屋屋顶上，所以瓦当上刻以该建筑之名称应该是当时惯用的一种方式。其中，如“甘林”、“上林”、“建章”等，都是汉代著名的朝廷宫殿的名称。也有刻记官署、祠、墓之名的，如“都司空瓦”、“西庙”、“万岁冢”。吉祥语的特点是用简练的文字表达出人们美好的心愿，所以它被广泛地用在各地的民俗活动之中，当然在建筑的各种装饰上也常用这类吉语，如大门的门簪、门联，挂在柱子上的楹联上都常见到，而瓦当上也是如此。从两个字的“千秋”、“万岁”、“大吉”、“万世”，四个字的“与天无极”、“富贵万岁”、“大宜子孙”，到文字较多的“千秋万岁富贵”、“长乐毋极常安居”等等。记事类瓦当自然只能记下一个时期的重大事件，如“汉并天下”、“单于和亲”等。除这几大类之外，也有一些特殊的，如刻书“盗瓦者死”的瓦当，这种瓦应该属于工匠的一种即兴创作，它们只是少量的瓦，不会成片地用在屋顶上。

文字瓦当上的字数有少有多，少的有单字、两字的，如“年”、“宫”、“乐”、“永乐”、“未央”等。4字、5字、6字 至11、12字的都有，其中以四个字的最多。在已发现的文字瓦当中，字数最多的为12字，如“维天降灵延元万年天下康宁”和“天地相方与民世世永安中正”。无论字多字少，都刻在瓦当头上。周、秦、汉时期的圆形瓦当，直径多在14-20厘米之间，只有在陕西咸阳秦始皇骊山陵发现有马蹄形大瓦当，直径最大者达52-61厘米，由此可以推知当时地

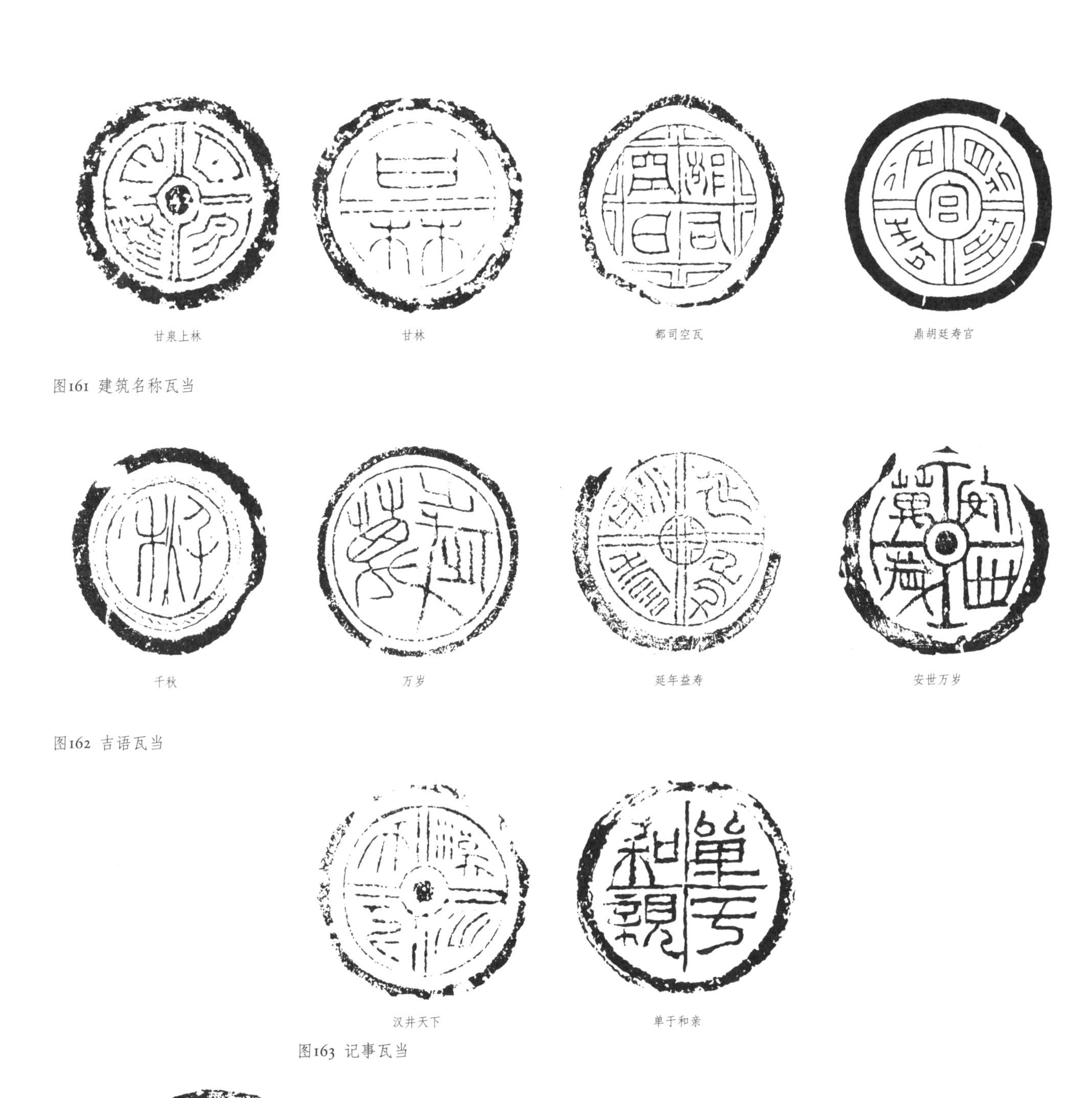

甘泉上林　甘林　都司空瓦　鼎胡延寿宫

图161 建筑名称瓦当

千秋　万岁　延年益寿　安世万岁

图162 吉语瓦当

汉并天下　单于和亲

图163 记事瓦当

盗瓦者死

图164 “盗瓦者死”瓦当

卫

关

图165 单字瓦当

图166 “维天降灵延元万年天下康宁”

图167 马蹄形大瓦当

上陵区建筑的巨大规模与尺度。一字瓦当好构图，字居中，四周饰以纹样，二字瓦当，或上下、或左右安置妥当即可；将瓦当匀分为四，各放一字即为四字瓦当；文字一多，则需统筹设计，或将文字匀布，或将文字分组布局，其间饰以条纹；总之，在小小瓦当面上，这些文字的组合、设置也颇见功夫。瓦当上文字本身，篆体、隶体均有，经过陶土的雕刻与窑火的烧制，其笔画的勾勒曲直，形成瓦当文字的一种特殊艺术造型。所以瓦当文字的这种组合与形态有如中国传统的印章，也形成一种专门的学问与技艺。

文字记载历史，文字传递思想。中国自从仓颉创造了文字，最早的文字是刻在龟背和兽骨上，后人称之为“甲骨文”；后来又在青铜器上刻铸文字，称为“铭文”；到了商朝（公元前16-前11世纪），祖先开始在竹片和木片上用毛笔写文字，这就是“竹木简”；春秋、战国时期（公元前770-前221年），出现了在丝织品上书写文字，称为“缣书”、“帛书”；直至东汉（公元25-220年），蔡伦才发明了造纸，文字才得

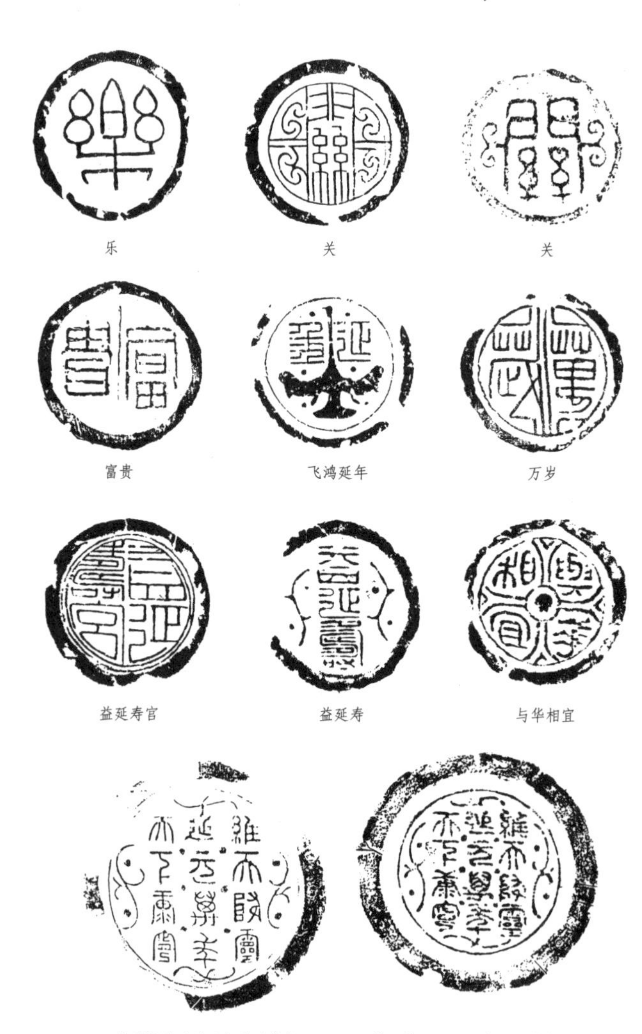

图168 从一字到多字的文字瓦当

以大量书写在纸张上。但是恰恰是比较方便的纸张与丝绸都很不容易长期保存，只有早期的甲骨、青铜器和竹简、木简由于作为殉葬品深藏于地下墓室中才得以保存至今，成为今人认识历史的珍贵材料。于是，历史上相应地出现了一批辨认这些难认的甲骨文、铭文、简文的学者，他们从辨认文字，进而到研究这些文字所记载的历史从而形成一种专门的学问“金文学”。目前发现最早的文字瓦当为西周时期，秦、汉时期的文字瓦当留存至今的已经有相当数量，从时间上讲，它们相当于甲骨文、铭文、竹简、木简文和缣文、帛文的时期；从内容上看，瓦当文字十分简略，自然不能与甲骨文、简文、帛文等相比，但它们仍记载下了当时政治、文化等多方面的信息，同样具有历史价值，所以很早就引起了金文学家的注意，到清乾隆时期更开始了研究之风，他们广泛收集古瓦当，考据“瓦当”名称之由来，辨认其上的文字，研究瓦当文字之布局与造型。同一片汉代瓦当，被多位学者辨认得出“永受嘉福”、“迎风嘉福”、“卡风嘉福”的不同结论。瓦当上某一文字由于工匠在制作时用了不规范的简化或变体，或在文字编排上有了颠倒，或在一个字的书写上有了缺笔等等，都会引发学者的研究与争论。一时间，瓦当艺术也成为少数学者的一门研究课题了，在这里的价值已经远远超过它们仅仅是房屋屋顶上一块筒瓦了。

画当，即筒瓦头上刻有各种画像的瓦当，这类画当在早期瓦当中为数不少。从画像的内容上区分有动物、植物、云、绳等其他形象的，在许多瓦当上，以上几类画像往往是组合使用的。其中以有动物的为多。我们在同时期的青铜器、墓室砖上所见到的一些动物形象，在瓦当上多能见到。例如，铜器上的饕餮纹、龙纹，画像砖、画像石上的虎、豹、鹿、雀等。中国传统中的四神兽青龙、白虎、朱雀、玄武已经出

永受嘉福

图169 “永受嘉福”瓦当

龙纹

龙纹

图170 龙纹瓦当

龙纹

饕餮纹

饕餮纹

图171 龙纹、饕餮纹瓦当

现在汉代瓦当上。龙是人创造的神兽，很早以前就成为中华民族的图腾，龙之成为封建帝王的象征是汉高祖以后的事，所以龙自古以来就带有神圣的意义，是四神兽之首。虎为兽类，性凶猛，故被称为兽中之王，它的形象很早就在画像砖和画像石上出现。正因为它的凶猛，所以将它作为“虎符”象征古代的兵权，将士出征，帝王授以虎符即交予了调兵遣将的权力。在民间更将虎作为一种力量的象征，人们将英勇作战的将士称为“虎将”；把“虎娃”、“虎妞”作为孩儿的爱称；“虎头虎脑”成了少年身心强壮的形容词；农村从小孩出生起就让他们穿虎头鞋，戴虎头帽，枕虎枕，围绣有老虎的兜布，玩竹木、陶土、布、纸做的各种虎形玩具。在中华大地上构成一种特殊的“虎文化”，可以说把老虎的象征作用发挥得淋漓尽致了。朱雀为鸟类，但非一般鸟而属一种神鸟，汉代画像砖和画像石上有它的形象，或站立，或飞翔，宽翅长尾，颇具神态。玄武即龟，属水生动物，故又称水龟，背有硬甲，当身受外力侵袭时，可将龟头与四足缩至甲内以自卫。古时用龟甲作占卜用，亦有作为货币的，称为“龟贝”。龟背甲硬而能负重，所以常将龟作石碑之底座，称为“赑屃（bì xì）”。龟在兽类中较长寿，传说能过百岁，因此古代称长寿老人为“龟龄”、“龟寿”。古籍《玄中记》云：“龟千年生毛，寿五千年谓之神龟，万年谓灵龟”。千年、万年之龟自然属于浪漫主义的传说，但这类传说却将普通水生物变成了神兽与灵兽。

龙、虎、雀、龟这几种神兽与瑞兽怎么会组成为相联的四神兽和四灵兽呢？中国古人认识世界离不

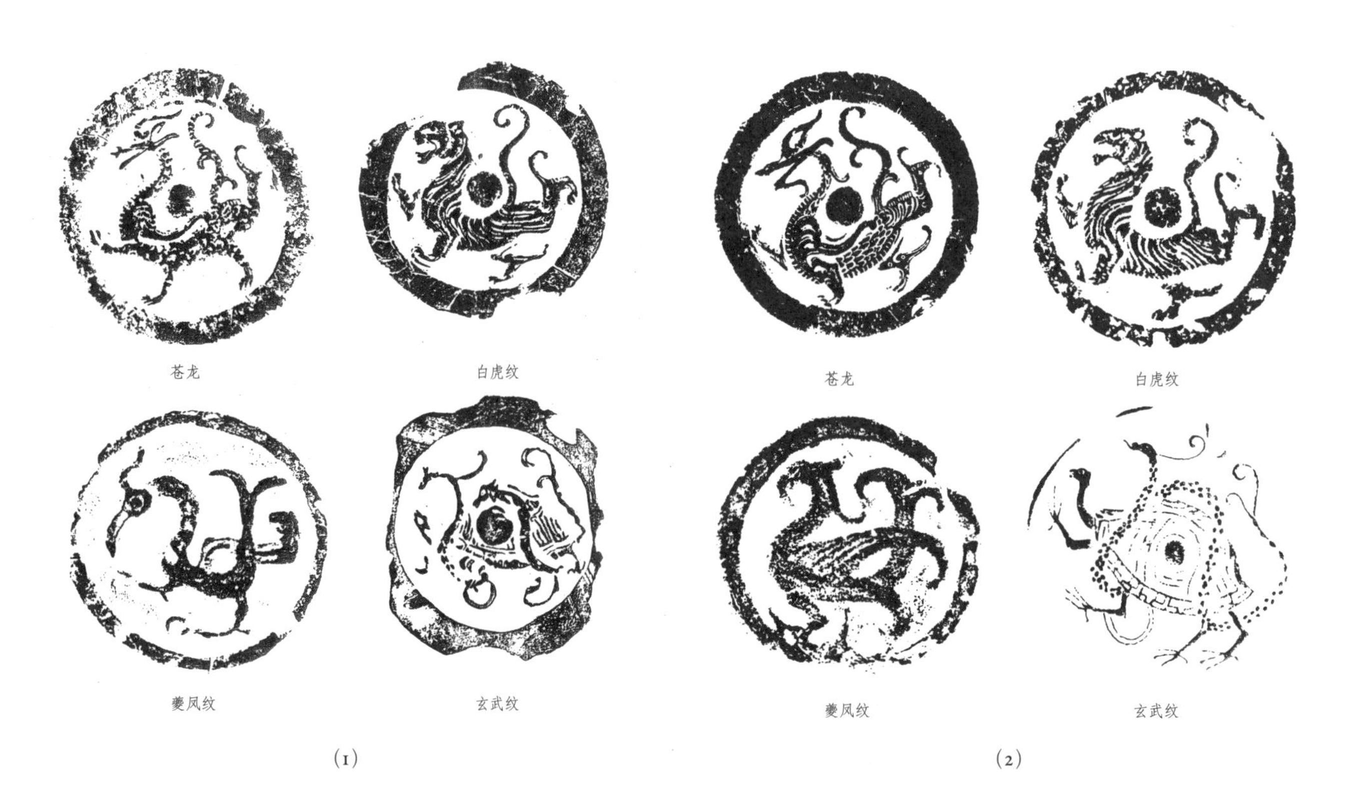

图172 龙、虎、凤、龟四神兽瓦当（1）（2）

开阴阳五行学说，所谓阴阳是指天下万物皆分阴阳，天地、日月、昼夜、男女皆分属阳与阴，阴阳之间既相互对立又相互依存。所谓五行是说构成天下各种物质有五种基本元素，即水、火、木、金、土；同时空间方位也分东、西、南、北、中；颜色亦有青、黄、赤、白、黑五色之分；声音也有宫、商、角、徵、羽五个音阶之别；并且又把五种元素与五方位、五颜色、五音阶组成有规律的对应关系。这是观察地上人间的现象。随着古代天文学的发展，古人更将天体中的星座也分为了东、西、南、北、中五个部分，称为“五官”。据观测，其中东方星座呈龙形，并与五色中东方的青色相对应，称“青龙”；西方星座呈虎状，与西方的白色相配称“白虎”；南方星座呈鸟形，与南方的朱色（赤色）相配称“朱雀”；北方星座呈龟形，与北方的玄色（黑色）相配，因龟又称武，故称“玄武”。如此一来，青龙、白虎、朱雀、玄武不但成了天上四方星座的名称与标记，又成为地上四个方面的象征，龙、虎、雀、龟本来都各有自身的人文内涵，如今被连在一起成了四神、四灵，更增添了它们的神圣意义。

其他如鹿、鹤也是瓦当上常见之动物。鹿，兽类，四肢细长，雄者头上生有树枝般的角，初生之角称鹿茸，是一种对人体有大补的药材，因产量少而十分名贵。鹿性温驯，所以古代设有专事养育鹿的“鹿苑”，一方面供帝王游猎，同时也便于采集鹿茸。瓦当上的鹿形态多样，有单鹿、身带花纹的梅花鹿、并立的双鹿与子母鹿，还有连体的双鹿等。鹤为鸟类，腿高，嘴尖，脖子长，亭亭玉立，形态很美。在鸟类中鹤亦长寿，所以与“龟寿”、“龟龄”一样，“鹤寿”、“鹤龄”也成了老人长寿的颂词，也有合称为“龟鹤之寿”及“龟鹤之龄”的。

植物纹样中以树纹最常见，树干挺立，树枝向两

子母鹿

双鹿纹

梅花鹿纹

鹿纹

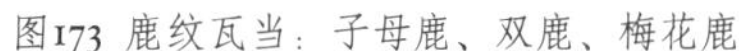
图173 鹿纹瓦当：子母鹿、双鹿、梅花鹿

四虎纹

虎雁纹

虎雁纹

图174 虎纹瓦当：四虎、虎雁

金钱豹纹

金钱豹纹

图175 金钱豹纹瓦当

凤雏纹

双鹤云纹

三鹤纹

图176 凤、鹤纹瓦当：凤、双鹤、三鹤云纹

边伸展，树纹常与兽类和云纹相组合，很少独立于瓦当之上的。云纹除与动、植物纹组合外，也有全以云纹装饰的瓦当。

不论是字当或者画当，都是在面积很小的圆形或半圆形的瓦头上进行构图与雕塑，所以工匠必须将动、植物和其他器物的形态简化，这种简化是在对它们的形态有充分认识之后进行艺术概括而完成的。我们只要看看瓦当上或站立或奔跑的鹿，那奔腾呼吼的金钱豹，那飞腾的虎、雁组合，那蜷伏在瓦当上多种形态的神龙，就可以看到古代工匠高超的技艺了。这些形象都只能是单面剪影式的，但不论是较复杂的龙体，还是简单的鹿与仙鹤，都充分地表现出了它们各自的神态。如果与周、秦、汉时期的铜器与墓石、墓

树纹

树纹

龙树纹

图177 树纹瓦当

图178 云纹瓦当

砖相比，铜器上的装饰是铸造出来的，石、砖上的装饰是刻出来的，它们表现形象的线条多比较僵硬，而瓦当装饰是在泥坯上进行雕塑尔后进窑烧制而成的，所以形象较有厚度和立体感。

唐、宋时期的瓦当留存下来的自然比早期的要多，从已知的材料看，瓦当上装饰以莲花纹为多。明、清建筑以宫殿为例，无论是帝王宫室、皇陵、皇园，屋顶上用的都是琉璃瓦，而瓦当上都用象征着帝王的龙作装饰。一座紫禁城，从大型宫殿到楼阁、亭榭，瓦当上都是龙，从内容到形式反不如早期瓦当那样丰富了。但在地方建筑上仍保留了瓦当艺术的多样性。在各地衙署、寺庙、祠堂、会馆等建筑的瓦当上，能看到动物、植物、山水、云纹等等多种形式的

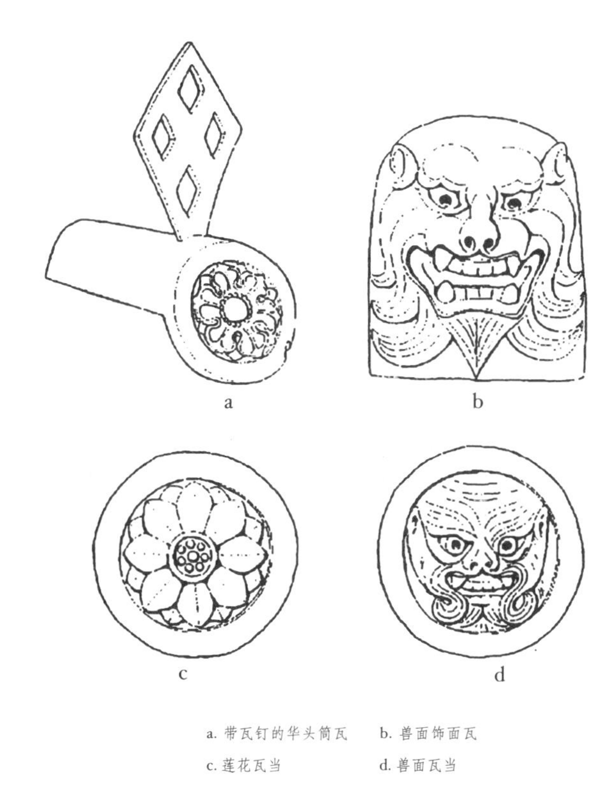

a. 带瓦钉的华头筒瓦　b. 兽面饰面瓦
c. 莲花瓦当　d. 兽面瓦当

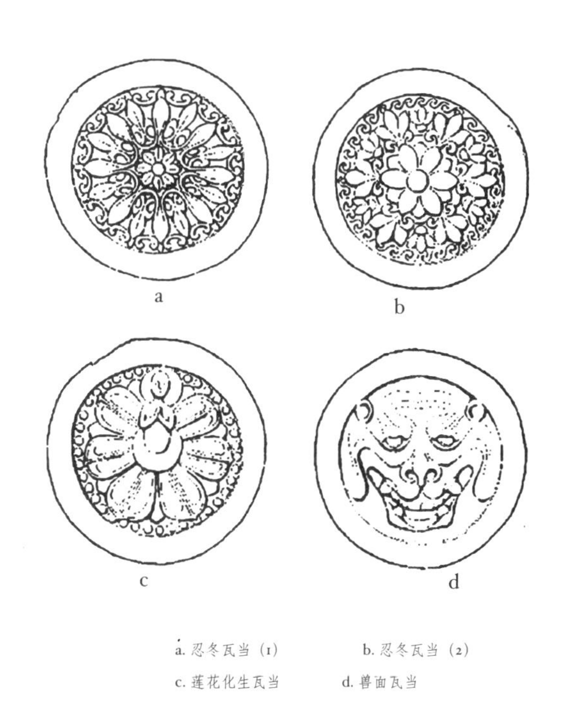

a. 忍冬瓦当（1）　b. 忍冬瓦当（2）
c. 莲花化生瓦当　d. 兽面瓦当

图179 河南洛阳出土北魏洛阳时期瓦当

图180 江苏、南京出土南朝莲花瓦当

a

莲花瓦当

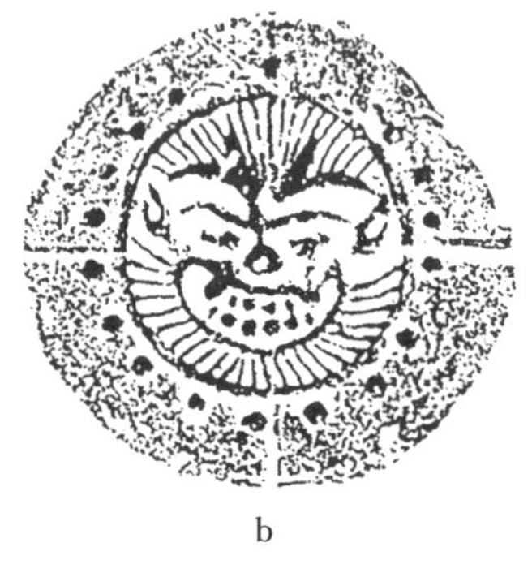

b

兽面瓦当

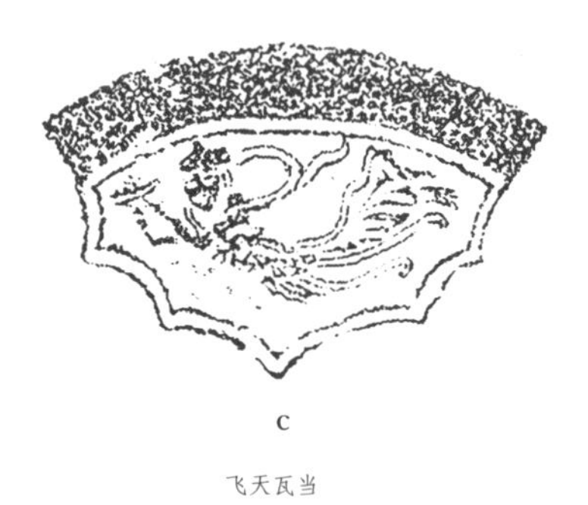

c

飞天瓦当

图181 河南登封出土唐代瓦件

莲花瓦当（1）

莲花瓦当（2）

图182 陕西西安唐长安大明宫遗址出土莲花瓦当

图183 清代宫殿龙纹瓦当

(1)

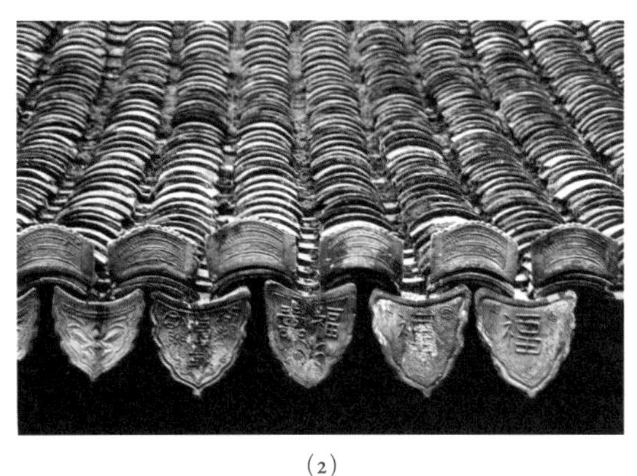

(2)

图184 扁长形唇形瓦当 (1) (2)

装饰。在农村的住宅上，同一栋房屋檐口的一排瓦当可以出现各不相同的装饰。而且在瓦当的形式上也不只有圆形和半圆形的两种，同时还出现了扁长形的瓦当，很像人的嘴唇，所以也称为“唇瓦”。

滴水是铺在屋顶檐口处的仰瓦，它与普通仰瓦不同的是顶端有一块向下的瓦头，它的功能是便于排泄屋面上的积水，下雨天雨水自仰瓦下泻，到檐口时，能够顺着这块瓦当而滴至地面，从而保护了仰瓦下的屋面结构，所以将这样的瓦头称为“滴水”，带有滴水的仰瓦也称“滴水瓦”。滴水的形状大多为上平下尖的三角形，两边呈如意曲线形。滴水与瓦当一样，都带有文字和其他画像的装饰，前者称“文滴”，后者称“画滴”。从明、清时期的瓦当和滴水看，在同一栋建筑上，它们的装饰纹样应该是相同的，宫殿上的瓦当、滴水都用龙的装饰，只是因为二者形状的不同而采用造型不同的龙纹：瓦当是圆形，当用龙身蜷如团的团龙；滴水上则用行进间的长形“行龙”。早期的滴水与瓦当一样具有珍贵的文化价值，因而也受到金文学家的注意，但奇怪的是留存下来的滴水远不如瓦当那么多。

图185 仰覆瓦及唇瓦图

在南方地区的屋顶上有的不用筒瓦而全部用板瓦

图186 覆瓦下用白灰的檐口

图187 覆瓦上用白灰的檐口

铺设，仰瓦在下，覆瓦在上，至檐口处，仰瓦仍用滴水，而覆瓦的瓦当不单是朝下的，同时出现了朝上连着一块瓦头的形式，它的形状左右边垂直，上边与下边平行呈曲线形，高度无定制，原是圆形瓦当头变成近方形或长方形的瓦当了。有时在这些檐口覆瓦的下面用白灰封口，这种做法可以对瓦面下的结构起到保护的作用，这些白色的封口在黑瓦的衬托下，在屋檐处组成一条十分醒目的花边，它比瓦当、滴水更具有远观的装饰效果。

小兽

在建筑屋顶上，除了前面讲的有一条与房屋正面平行的正脊之外，在硬山、歇山屋顶上还有与正脊垂直的屋脊，称为“垂脊”；在庑殿和歇山、攒尖屋顶上有斜向四个屋角的屋脊，称为“戗脊”。屋顶正脊保持水平位置，大多数左右持平不倾斜，而垂脊、戗脊与正脊不同，它们由上而下有一个斜度。屋脊高出屋面，脊顶面多用筒瓦封顶，这些筒瓦一个一个相接，从上至下，所有重量都会落到处于下方的筒瓦身上，所以工匠都要把下层的筒瓦固定在屋面的结构上。固定之法是在瓦上留一孔，用铁钉把筒瓦钉在下面的构件上。但铁钉暴露在外，一方面本身易受日晒雨淋的侵蚀，而且雨雪经瓦上小孔浸入也会使下面的木结构受到腐蚀，所以必须在铁钉之上扣一小帽，称为“钉帽”。处于屋脊下端筒瓦上的钉帽经过工匠

图188 筒瓦上铁钉

的加工，变成了小兽，逐渐成了垂脊和戗脊上不可缺少的装饰。由于建筑技术的进步，屋脊上面的筒瓦可以用泥灰固定在脊背上，不再需要下端的筒瓦承受重量了，筒瓦上的钉帽已经失去功能作用了，但这些已变为装饰的、由钉帽加工发展而成的小兽，却仍然保留在屋脊上，而且与筒瓦连为一体，成为装饰性的筒瓦构件。这样的筒瓦组合在一起，逐步发展成为一种特殊的小兽系列装饰。这种现象在北京紫禁城的宫殿建筑上表现得特别明显。从紫禁城最重要的大殿太和殿、保和殿、乾清宫，到御花园的亭、榭，它们的垂脊、戗脊上都装饰着这类小兽，只是随着建筑的大小和重要性的高低而采用不同数量的小兽。以太和殿与乾清宫两座大殿为例，前者是朝廷举行登基、完婚等重大典礼和重要节日皇帝接见文武百官朝拜的殿堂，后者是皇帝、皇后居住的殿堂，这两座紫禁城前朝与后寝最重要的宫殿自然都采用了最高一级的重檐庑殿式屋顶，上下两层四面坡屋顶共有八条斜向的戗脊，在每条戗脊的前端都有多个小兽装饰。最前端的不是小兽而是一位骑在鸡上的仙人，仙人之后分别是龙、凤、狮子、天马、海马、狻猊、押鱼、獬豸、斗牛。龙是中华民族的图腾，后来又成了封建帝王的象征，自然在百兽中具有最高和神圣的地位。凤即凤凰，是一种瑞鸟，雄为凤，雌为凰，《大戴礼·易本命》中称："有羽之虫三百六十而凤凰为其长。"后来成为封建皇后之象征，在紫禁城皇帝、帝后居住的殿堂上可以看见用龙、凤在一起的装饰，在民间则用"龙凤呈祥"表示吉祥之意。狮子自汉代由安息国（今伊朗）传入，虽属外来兽类，但在中国得以安居和繁殖，因其性凶猛而称为兽中之王，所以常用它的形象放在大门两旁作为护门之兽，狮子成了勇猛和力量的象征。马在兽类中与人的关系很密切，马力量大，善于长途奔跑，所以出现了骑马、马拉车，马拉犁等形象。马是中国古代很重要的交通工具和生产劳力，早在汉代墓室的砖、石上就有马的形象。天马、海马都属好马、骏马，天马更长有两翼，能飞腾。狻猊在古代是狮子的别称，《穆天子传》："狻猊野马，走五百里。""狻猊，狮子，亦食虎豹"。看来，在古人眼里，狻猊是十分凶狠的兽类。押鱼是大海中的鱼，属神兽。獬豸也是一种神兽，《异物志》："北荒之中有兽，名獬豸，一角，性别曲直。见人斗，触不直者。闻人争，咋不正者。"獬豸在形象上的特点是头上有独角，因它能区别曲直，主张正义，所以古代朝廷司法官按察使的官服上常绣獬豸图案，以表示要公正司法。斗牛为天上星座二十八宿中北方的斗宿和牛宿。从前面的龙开始到后面的斗牛共计九个小兽，它们大多是人们熟悉的神兽与瑞兽，都各具不同内容的象征意义，至于为什么恰恰选中这样九类不同的小兽组成系列，目前还不清楚，但用九个小兽却是有意义的。前面已经讲过，阴阳五行是古人对客观世界的一种认知，人分阴阳，男为阳，女为阴；数字亦分阴阳，单数为阳，双数为阴。所以在皇帝居住、使用的宫殿上应该用阳数中最大的数字即"九"来装饰，以示其高贵。这种装饰不是直接用"九"字的形象而是采用九个装饰，例如，宫殿大门上的门钉是9行、9列共计81枚，宫殿前皇帝专用的御道上雕有9条龙，宫殿前影壁上也有9条龙而称为"九龙壁"，等等。所以在最高级别的殿堂屋脊上也用了9个小兽作装饰，次一级别的殿堂，如前朝的中和殿，后宫的交泰殿则用排列在前面的7个小兽，在更低一级的厅堂，御花园中的亭、榭上则用前面的5个、3个小兽，到一些院墙门的屋顶上则只用最前面的单只龙兽了。在这里要注意一个现象，就是在紫禁城里，前朝部分的太和殿、保和殿，后宫

图189 北京紫禁城太和殿戗脊上小兽

(1)

(2)

图190 紫禁城建筑戗脊上小兽(1)(2)

部分的乾清宫都属最高等级建筑，在它们的屋顶上都用了9个小兽，但是相比之下，太和殿又是重中之重，它在礼制上比保和殿、乾清宫更为重要，为了显示这种区别，在太和殿屋脊上9个小兽之后特别加设了一个站立着的猴，因为它位列第十，所以称“行什”。这样做既没有破坏最高等级“九”个小兽的规矩，又显示出太和殿的特殊地位。这种9+1的做法在紫禁城是孤例，在各地宫殿建筑中也是惟一的。

在前一章里我们见到了宫殿建筑屋顶上正脊、正吻的形式，它们多比较简洁而统一，但各地寺庙、祠堂等建筑上的正脊、正吻就没有固定的式样了。正脊的装饰如此，垂脊、戗脊的装饰也是这样。脊上的小兽既然失去了原来作为钉帽所具有的功能，那么它们的位置并非一定要处于屋脊的前端，而可以随意设置。小兽既成为纯装饰构件，那么它们可以是动物小兽，也可以变为植物花叶；既可以用具有象征意义的形象，也可以用没有具体内涵的装饰手段和纹样。于是，我们在各地寺庙的屋脊上，既见到小兽的装饰，也见到整条龙行进在屋脊上的装饰；不仅见到西双版纳佛寺上满排的卷草装饰，更见到四川佛寺上将笔、墨、砚、纸文房四宝，水烟袋、花盆、山石景等用品齐摆在屋脊上的装饰。在有些高翘入云的屋脊上往往只用陶塑、灰塑做成图纹、花叶附在屋脊表面，在这里，注重的不是脊上突出的装饰，而是整条屋脊本身的造型与态势。总之房屋的屋角成为装饰的重要部位了。

(1) (2) (3) (4)

图191 各地寺庙建筑戗脊上小兽装饰（1）（2）（3）（4）

(1) (2)

图192 各地寺庙建筑戗脊上龙装饰（1）（2）

(1)

(2)

图193 云南景洪南传佛寺建筑屋脊上卷草、异兽装饰（1）（2）

(1)

(2)

图195 用砖、瓦装饰的戗脊（1）（2）

图194 四川成都佛寺大殿戗脊装饰

图196 注重整体造型的戗脊

攒尖宝顶

图197 攒尖宝顶（1）：四角攒尖

在中国古代建筑的屋顶中有一种攒尖顶形式，它的特点是在几面坡的屋顶上，几条屋脊自下而上交汇在一起，屋顶上没有正脊，只有数条屋脊交汇而成的节点。这样的屋顶适用于平面成正角形的建筑，例如房屋为正方形或正六角形、正八角形，甚至是正十二面形，它们的屋顶就用四角攒尖，或正六角、八角、十二角攒尖形式，当然正圆形的建筑更适合用攒尖屋顶了。数条屋脊攒尖而成的节点，称谓"宝顶"，它位居屋顶之上端，地位突出，自然成为装饰的重点。早在汉代墓室中的明器上就看到这种宝顶，多层楼阁，顶上覆盖着四面坡的攒尖顶，在中央宝顶处立着一只张着翅膀的瑞鸟作装饰。在历代建筑中，攒尖屋顶的建筑，它们的宝顶都有各种式样的装饰，首先到紫禁城看看明、清两代的宫殿建筑。四方形或者多角形、圆形平面的建筑多出现在园林部分，多层楼阁、单层凉亭多采用这样的平面，但是有些大型殿堂有时也会采用四方形甚至多面形。紫禁城里前朝三大殿中央的中和殿，后宫三大宫中央的交泰殿都采用四方形平面，上面是四方攒尖顶。这两座殿堂的宝顶都呈圆形，一座须弥座上面顶着一只宝珠，须弥座上有琉璃烧制的起伏不大的龙纹作装饰，造型简洁浑厚

图197 攒尖宝顶（2）：六角攒尖

图197 攒尖宝顶（3）：圆形攒尖

图198 攒尖式的屋顶图

图200 中和殿屋顶宝顶

而稳重。但紫禁城御花园里一些亭子上的宝顶装饰就复杂多了，其中的万春、千秋两座亭子分居于御花园的东西部分，平面为亚字形，一层檐也呈亚字形，二层屋顶变为圆形，顶端立着宝顶。万春亭的宝顶下面安琉璃宝瓶，瓶的表面附有龙、凤纹，宝瓶之上顶着圆形伞状的铜质宝盖，盖上附有璎珞装饰。同时在宝瓶和宝盖外面还附有火焰纹等形状的装饰。千秋亭上的宝顶和万春亭的近似，也是由宝瓶和宝盖组成，只是宝瓶外没有附加装饰。这种比较华丽的宝顶在紫禁城宁寿宫花园的碧螺亭、耸秀亭上也能见到。我们从紫禁城和其他建筑的宝顶上能够看到这种宝顶在造型上的一些讲究。

第一，宝顶的形态与这座建筑本身的性质和它整体造型的风格有关。也就是说宝顶的造型要服从建筑的造型。紫禁城的中和殿与交泰殿位于前、后宫的中心位置，整体环境肃穆、神圣，两座大殿自然也是庄严而稳重，因此它

图199 汉代明器建筑宝顶

图201 紫禁城御花园千秋亭

图202 紫禁城宁寿宫花园碧螺亭宝顶

图203 千秋亭宝顶

图204 御花园万春亭宝顶

图205 北京天坛祈年殿宝顶图

图206 天坛皇穹宇宝顶

图207 祈年殿宝顶

们屋顶上的宝顶也应该是造型简洁而端庄。在皇帝行祭天大礼的天坛主要建筑上也同样看到这种现象。供奉上天牌位的皇穹宇和祈求丰年的祈年殿都是圆形大殿，象征上天的蓝色屋顶托着金色的宝顶，宝顶本身只是须弥座上立着宝瓶，造型简单而庄重。只是由于祈年殿为三重檐屋顶，因此与之相配的宝顶体量比皇穹宇的宝顶高大。但在紫禁城御花园那样的环境里，四周栽着树木，花草，地上堆着山石、盆景，这里的亭子、水榭从平面形式到装饰都变得多样而花哨了，所以亭、榭上的宝顶造型自然也变得丰富而灵巧了。当然不是所有的亭子都会是这样。同样是皇家园林的颐和园内，位于昆明湖东岸也有一座面积达200多平方米的廓如亭，呈八角形平面，由内外三圈共40根立柱支撑着上面重檐八角攒尖顶，在面临昆明湖，西

图208 北京颐和园廓如亭宝顶

图209 颐和园谐趣园亭子宝顶（1）

（1）

图209 颐和园谐趣园亭子宝顶（2）

（2）

图210 佛塔宝顶：1.江苏苏州北寺塔宝顶 2.江苏镇江金山慈寿塔宝顶

面与十七孔大石桥相邻的环境里，廓如亭体量巨大，屋顶的宝顶相应的也简洁而厚重，与凉亭的造型十分相配。同样在颐和园的谐趣园里，有几座小亭子，位置也都在水池之畔，由于谐趣园的规模较小，水池、建筑、树木布置紧凑，空间曲折有致，所以这几座亭子上的宝顶造型也比廓如亭的宝顶活泼而多变。江南地区的建筑风格比较轻盈而灵巧，例如上海龙华塔、江苏苏州的北寺塔和江苏镇江的金山慈寿塔，比例瘦高，飞檐翼角，它们屋顶上的宝顶都很细而高，耸立于塔顶，更使佛塔挺拔而高耸。

第二，屋顶宝顶的造型除了要与建筑本身的性质与形式相匹配之外，还有其本身形态的塑造问题。中和殿、交泰殿的宝顶造型需要庄严，它用须弥座和宝珠相叠而成，由于须弥座中段有束腰向内收缩，从而使宝顶端正而不笨拙。即使在颐和园廓如亭那么粗壮的宝顶上也需要用些线角装饰。浙江农村一座凉亭，顶上有两层屋檐，屋脊平缓、舒展，四脊攒尖，与之相配的是三角形的宝顶，这宝顶被做成上下三段的葫芦，三段高度不等，弧线不同，上尖而下壮，造型敦实而不粗笨。山西农村一座凉亭，高据城墙之上，屋顶高峻更增添了它居高临下的态势，在这里，造型瘦高的宝顶成为屋脊自然的结束，宝顶由莲座、仰覆盆、葫芦几部分组成，上下相叠，既保持了瘦高的总体造型，又使形态富有变化。在云南西双版纳地区的农村，村村都有水井，为了保护井水的清洁，井台上都建有小小的井亭，井亭的形式互不雷同，井亭顶上宝顶的式样也各具特征。试观各地攒尖宝顶，有圆有方，有高有低，造型随建筑和环境而变化，形式丰富多彩，古代工匠在宝顶形态的塑造上的确积累了丰富的经验。

图211 浙江永嘉岩头村凉亭宝顶图

图212 山西阳城郭峪村凉亭宝顶图

图213 云南西双版纳农村井亭宝顶（1）

图213 云南西双版纳农村井亭宝顶（2）

图213 云南西双版纳农村井亭宝顶（3）

第三，宝顶和建筑的其他装饰一样，除需要具有美的形式之外，还多包含着一定的人文内容。紫禁城里不论殿堂还是园林亭榭，它们的宝顶多有龙、凤的装饰。在佛教建筑里，这种现象更为明显，尤其是佛塔，塔原本是埋葬佛舍利的纪念物，一方面受信徒的膜拜，同时又成了宣扬佛教的标志。佛塔传入中国后，与中国已有的楼阁相结合而创造出中国式的佛塔，它们的形式是把印度覆盆式的佛塔放在中国楼阁的顶上，于是小覆盆式佛塔成了高楼阁的宝顶，并称之为“塔刹”。所以中国佛塔的塔刹比起一般建筑的宝顶更具有重要的意义，它们除了本身的造型之外，更加注重自身所表现的宗教内容。于是塔刹由简单的覆盆式经过工匠之手，经历长期实践，创造出更为丰富的形式。从现存的众多佛塔的塔刹来看，可以归纳出这些塔刹的基本形制：塔刹自下而上可以分为刹座、刹身和刹顶三个部分，中央有一根刹杆贯穿上下。刹座压在塔顶的瓦上，外形多为须弥座，座上装饰着莲花瓣、植物花叶，或者用简单的台座。莲花是象征佛教的花类，佛像下面的基座和佛身上穿戴的衣服都有莲花装饰，称为“莲座”和“莲花衣”。有的

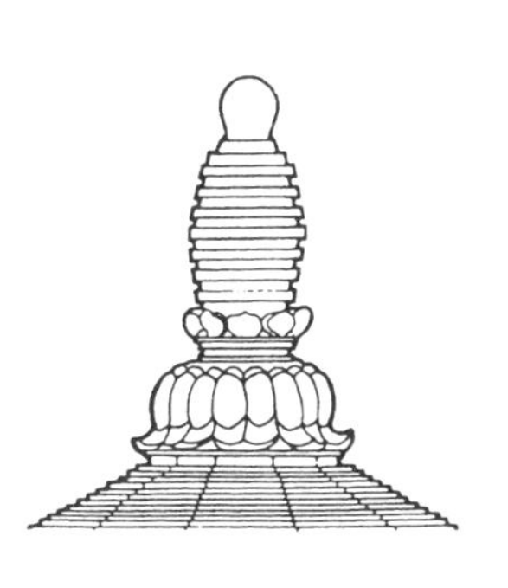
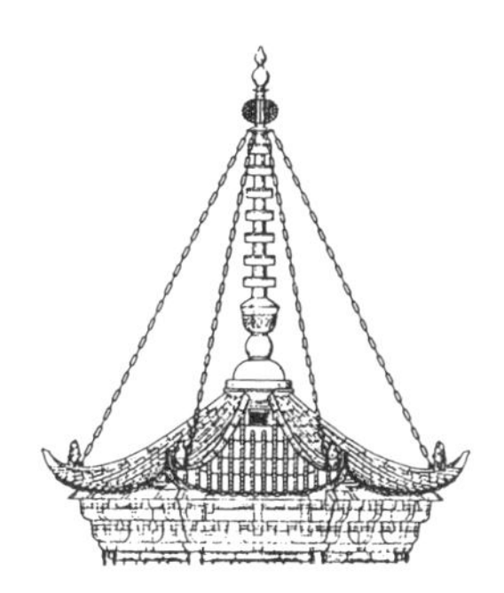

图214 佛塔塔刹图

图215 汉代画像砖上佛塔

图216 北魏云冈石窟石刻塔

图217 敦煌石窟壁画中北周佛塔

图218 河北正定临济寺塔金属塔刹

图219 北京颐和园花承阁佛塔金属塔刹

图220 河北承德避暑山庄佛塔琉璃塔刹

图221 北京天宁寺塔砖造塔刹

重要佛塔在刹座中留出空穴称为“刹穴”，在里面藏着舍利、经书和其他供器。刹身主要由贯套在刹杆上的圆形环组成，多层的圆环称为“相轮”，又称“金盘”，起到敬佛和礼佛的作用。相轮之上有伞状的华盖，也称为宝盖，作为冠饰。最上部分的刹顶多用宝珠组成，有的宝珠外面还附有火焰纹作装饰，称为“火珠”，因避讳“火”字以免遭火灾之害，故称为“水烟”。这种三段式的塔刹早在汉代画像砖上的佛塔像上已经看到，之后在北魏云冈石窟的石刻佛塔上和敦煌石窟北周壁画中的佛塔上都能见到。当然这样的塔刹只是基本的形态，在各地各时期的佛塔上，都会有不同的应用和创造。例如刹座，根据佛塔本身为四方、八角等不同的平面而会采用方形、八角形或者圆形。刹身的相轮也有多少之分，佛塔越高大，相轮越多，据《洛阳伽蓝记》中记载，北魏洛阳城中永宁

图222 山西平顺海会院明惠大师塔图

寺木塔，塔高90丈，塔刹高10丈，其中承露金盘（即相轮）有11重；河南登封嵩岳寺砖塔上的相轮有7重；山东历城单层的四门塔，塔刹的相轮只有5重；后期的佛塔，相轮数多采取单数。相轮和宝盖有用金属做成圆环固定在刹杆上，也有用砖或石做成环形相轮和宝盖的实体放在刹座之上。刹顶的宝珠可以是一颗，也可以是多颗上下串联；可以由金属制造，也可以为砖、石垒造。在大多数单层佛塔上，塔刹造型简化，有的只用须弥座和刹顶的宝珠组成，一层须弥座不够，可以用双层座叠加，例如山西平顺海会院明惠大师塔的塔刹是在方形基座上叠加一层八角形、一层圆形须弥座，然后在覆莲瓣上加宝珠，塔刹竟与塔身同高，成为全塔很重要的一个部分。不少佛塔应用基座的变化和不同高低的宝珠相结合也能创造出造型端庄的多种形态的塔刹。

喇嘛塔是佛塔中的一种类型，它与常见的楼阁式和密檐式佛塔最大的不同是塔身部分不是有多层的楼阁，而只是一个大型的覆盆，塔刹部分直接坐落在覆盆之上。北京妙应寺白塔建于元代，由尼泊尔匠师设计，是这时期很重要的一座喇嘛塔。圆形塔身上先是一层须弥座的刹座，座上是由13重相轮组成的刹身，因为喇嘛塔多用13重相轮，因此又称“十三天”。相轮之上是铜制的圆形宝盖，盖上满挂青铜的流苏装饰。宝盖之上原为宝瓶，后被改为一座小型喇嘛塔作为结束。在这座塔刹上除宝盖为铜制外，其余部分皆为砖筑，外表抹以白灰。这种塔刹的形式在各地喇嘛塔上用得比较普遍，山西五台山佛寺的砖造喇嘛塔、北京碧云寺金刚宝座塔上的石造喇嘛塔都是这样的塔刹，只是在相轮的外形上有的秀气一些，有的显得粗壮一些。北京西黄寺有一座金刚宝座塔，它是清代朝廷为西藏班禅额尔德尼六世建立的纪念塔，金刚座上

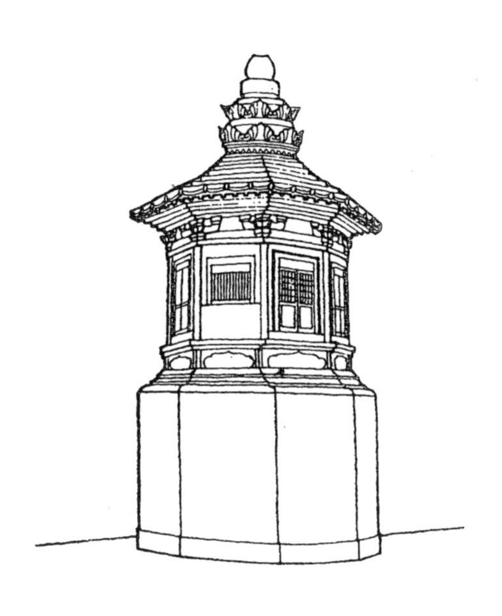

山西运城县寿圣寺内小塔

山西运城县泛舟禅师塔

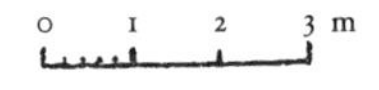

山西五台县佛光寺祖师塔

0 1 2 3m

河北房山县云居寺塔

0 1m

图223 单层塔塔刹图

中央是一座石造的喇嘛塔，塔刹部分也是由刹座、相轮、宝盖和宝珠所组成，它与众不同的是铜制的宝盖套在相轮之上，并且左右两侧各有一条垂带自宝盖内伸出紧贴着相轮。垂带也是铜制，它和铜制的宝盖和宝珠组成一体扣在喇嘛塔的顶端，使佛塔显示出与一般喇嘛塔不同的高贵气息。颐和园后山须弥灵境佛寺中有红、绿、黑、白四座喇嘛塔，它们的塔身分别由双层圆鼓或圆盆、亚十字座组成，但它们的塔刹造型却完全相同，黄色琉璃烧制的须弥座，其上是砖筑的“十三天”相轮，四座塔的相轮分别粉刷成红、绿、黑、白四种色彩，上面顶着金属的宝盖和宝珠，宝珠两侧有火焰纹装饰（即水烟），在宝盖与宝珠之间更添了金属的承露盘和日、月，从而使这四座塔刹显得很华丽。

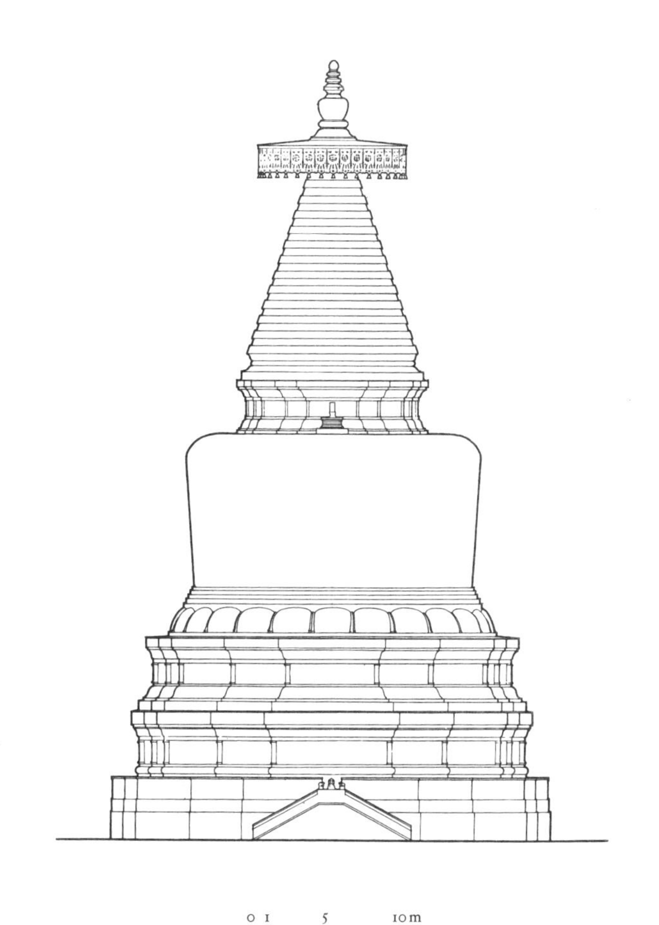

图224 北京妙应寺白塔图

图225 妙应寺白塔塔刹

图226 北京北海白塔塔刹

图227 山西五台山佛寺喇嘛塔

图230 西黄寺金刚宝座塔中央喇嘛塔塔刹

图229 北京西黄寺金刚宝座塔

图228 北京碧云寺金刚宝座塔上石造喇嘛塔

图231 北京颐和园须弥灵境佛寺中红塔

图232 须弥灵境佛寺四座喇嘛塔塔刹（1）

图232 须弥灵境佛寺四座喇嘛塔塔刹（2）

图232 须弥灵境佛寺四座喇嘛塔塔刹（3）

图232 须弥灵境佛寺四座喇嘛塔塔刹（4）

图233 日本佛塔塔刹（1）

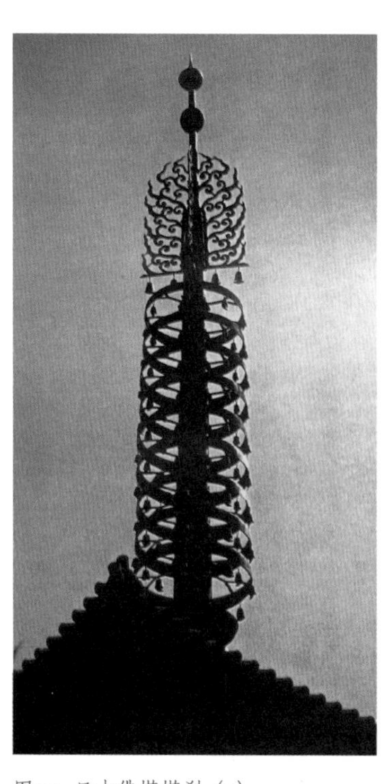

图233 日本佛塔塔刹（2）

图233 日本佛塔塔刹（3）

随着佛教由中国传至朝鲜和日本，中国式的佛塔也传到这两个国家，尽管佛塔的形式在当地工匠的不断实践中有了新的创造，但是它们的塔刹还保持着传统的式样。在日本佛寺的木结构塔顶上还是在刹座上有一串相轮，刹顶以宝珠作结束。韩国的石塔顶上也是由须弥座、相轮、宝盖、宝珠组成的塔刹，只不过这些部分都是由石料筑造，而且在相轮、宝盖上都有石雕花纹作装饰，使塔刹更加美观。由于韩国多数石塔都不太高，人们可以比较清楚地观赏到这些塔刹上的雕饰，使佛塔更具感召作用。

位于我国南部的缅甸、泰国都盛行上乘部佛教，大约在7世纪中叶，这种佛教自这些国家传入云南南部的傣族等少数民族地区，所以在我国称为南传佛教。在这些地区的佛寺与佛塔也直接接受了缅甸等国的形式而与汉族地区的佛塔大不相同，在当地称为“缅式塔”。这类佛塔的特点一是由多座塔组成群体的形

图234 韩国石佛塔塔刹

图235 云南景洪南传佛寺曼飞龙塔

式，中央的一座为主，形态大而高，四周围着多座比较矮的小塔。二是单座塔形既非楼阁或密檐式，又非完全的喇嘛塔形，总的造型比较高耸，多由多层圆形或多角形须弥座相叠加而成，下大上小，直至细而尖的塔刹顶部。这些塔刹也多有刹座、刹身和刹顶三部分，也多采用须弥座、相轮、宝珠的形式，但都十分细而高，最顶端的宝珠多由金属制成，多颗宝珠上下成串。云南德宏允燕塔，中央主塔的塔刹，在砖筑的9重相轮之上有金属的宝盖，这圆形的宝盖十分空透，四周悬有小风铃。有意思的是在这层宝盖之上又加了9层金属套圈，由大到小直至顶尖，它们好似宝盖的冠帽，又像是宝盖上面的又一层相轮。套圈四周还插着小风标叶片，在阳光下闪闪发光。银色的宝盖成为塔刹上绚丽的华冠，而且这种华冠在主塔四周的40座小塔上都有，只不过塔刹的相轮减为7重，宝盖上的套圈也缩至三层，但四周同样悬挂着风铃和插着风标，风吹铃响，洁白的塔身和银色的塔刹在蓝天衬托下，显出一片神圣的宗教意境。

在我国明、清时期，伊斯兰教建筑大致分两个系统，其一集中在新疆地区，是由西亚地区伊斯兰教原来的建筑与新疆维吾尔民族本土建筑相结合而产生的一种礼拜寺。其二是由汉族建筑组成适合于伊斯兰教需要的清真寺，主要集中于陕西、甘肃、宁夏一带。新疆的礼拜寺包括有供教徒做礼拜的大堂、教经堂和

图236 曼飞龙塔近景

图237 云南德宏允燕塔

图238 允燕塔主塔塔刹

塔楼等部分。礼拜堂因为要容纳众多的信徒，所以多采用砖筑造的圆拱顶。塔楼专门用作召唤信徒来寺做礼拜，所以称“唤醒楼”，伊斯兰教把这种召唤称为“叫邦克”，于是唤醒楼又称为“邦克楼”。邦克楼为高耸的圆筒形，多紧贴于门楼两角，中间有楼梯直通楼顶，寺中主持人阿訇站立楼上向四方呼唤，所以楼顶设有四周开窗的房间，房上覆以拱顶，顶上设有宝顶。伊斯兰教建筑重装饰，邦克楼的装饰集中于楼的顶层，外墙满贴石膏花或小瓷砖，或绘有彩画；四周窗上饰以花格；在圆形拱顶之上立长杆，杆上有宝珠和象征伊斯兰教的新月装饰。在这里，楼的顶层和其上的宝顶联为一体，共同组成邦克楼的重点装饰，高高举起在空中，成了伊斯兰礼拜寺的标志。这种顶端的装饰不仅出现在邦克楼上，而且还用在新疆的重要墓室上，当作圆拱顶上的宝顶。新疆喀什市阿巴伙加麻扎是阿巴伙加家族的墓地，在墓地大门两侧和主墓室的四角都设有这种邦克楼式的角楼，主墓室四角角楼的顶部又被端端正正地放在主墓室圆拱顶的中央，成了造型端庄的宝顶。在喀什著名学者哈斯哈吉甫的陵墓上也同样看到这样的装饰情况。

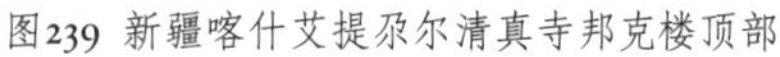
图239 新疆喀什艾提尕尔清真寺邦克楼顶部

图240 新疆吐鲁番清真寺邦克楼

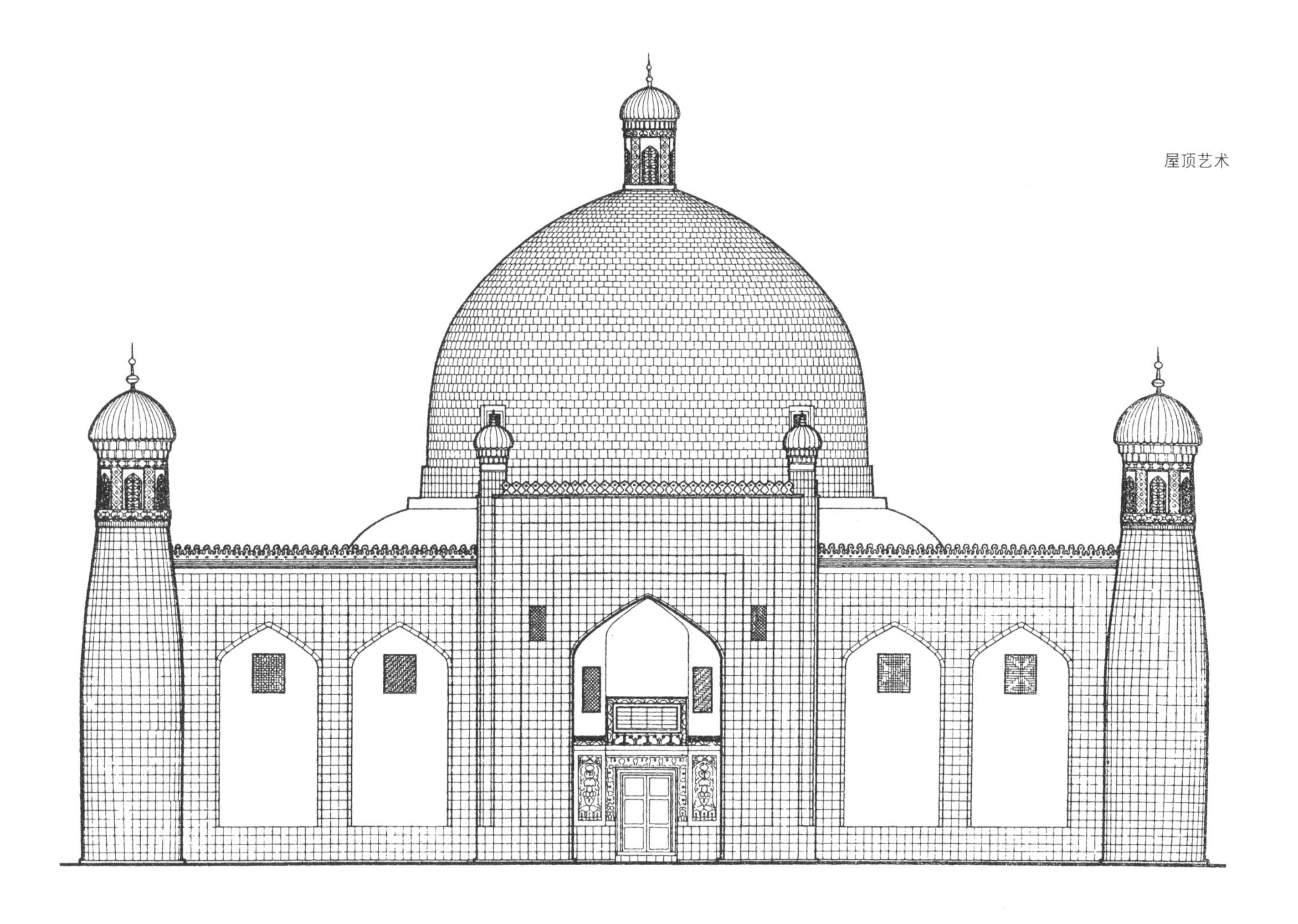

图241 喀什阿巴伙加麻扎主墓立面图

图242 喀什哈斯哈吉甫陵角楼

图243 喀什葛里陵角楼

美丽山花

古代建筑如果用悬山、硬山和歇山式屋顶，在屋顶的左右两面，前后两斜坡屋顶所形成的三角形部分称为山，在这一部分多用雕刻或彩绘花纹进行装饰，所以又称“山花”，而建筑两端的砖墙也因此被称为“山墙”。

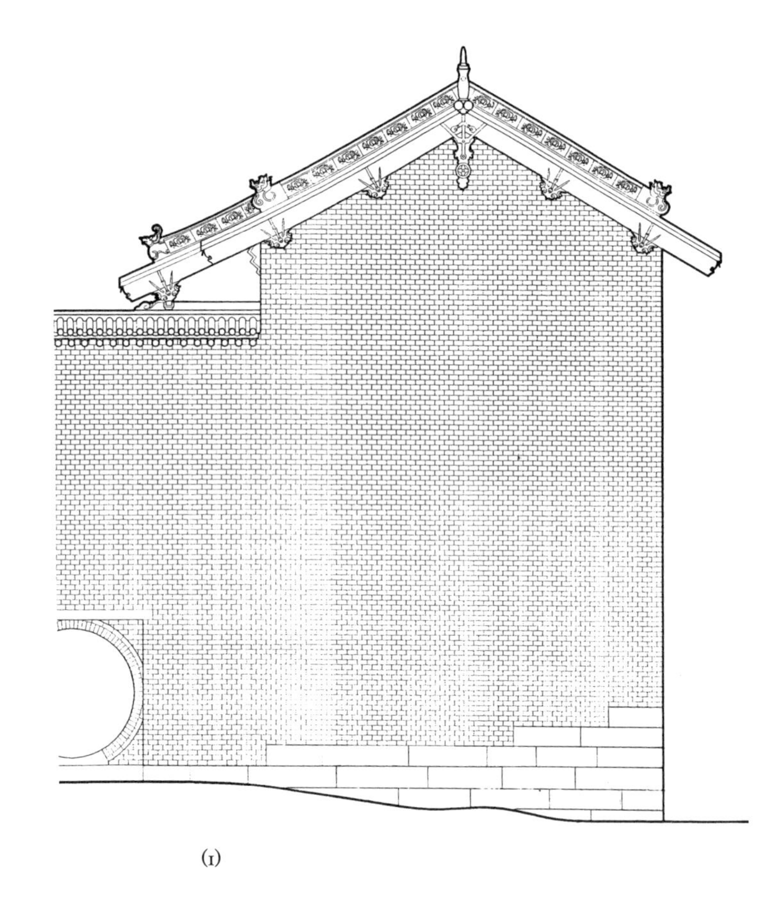

(1)

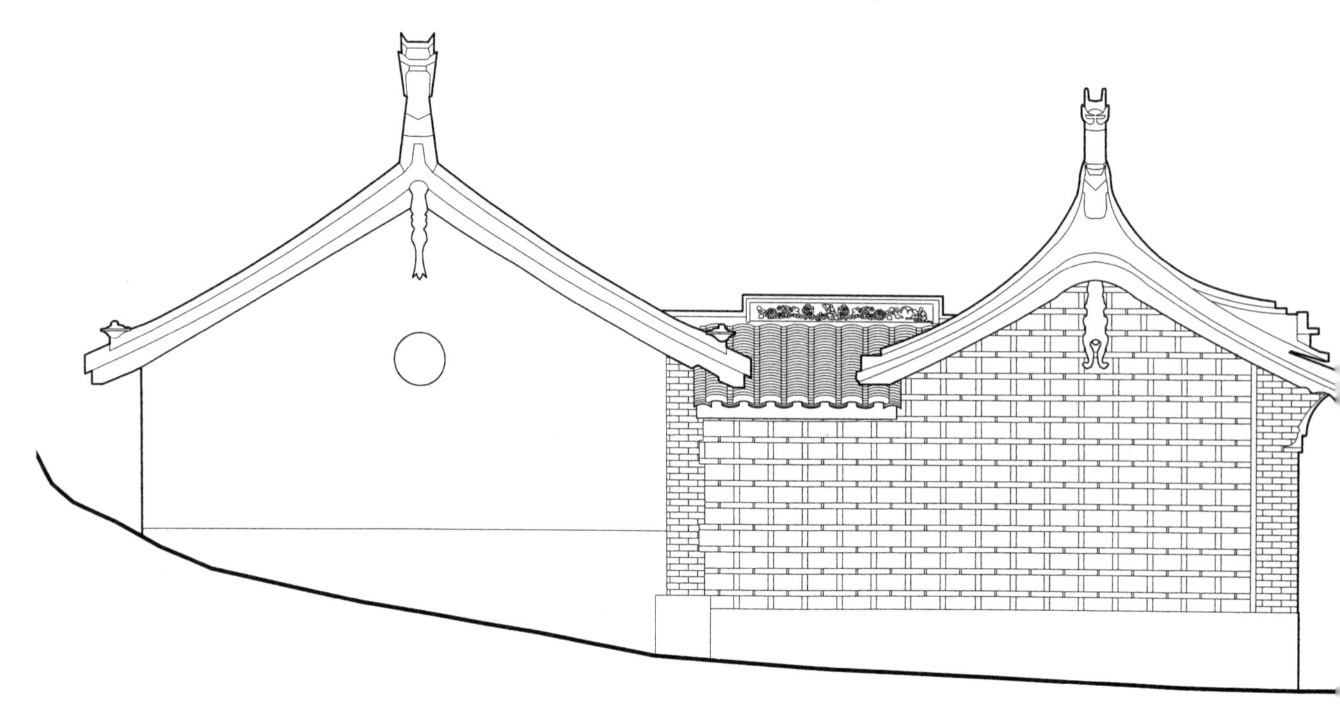

(2)

图244 山墙山花图 1.山西农村住宅 2.福建农村住宅

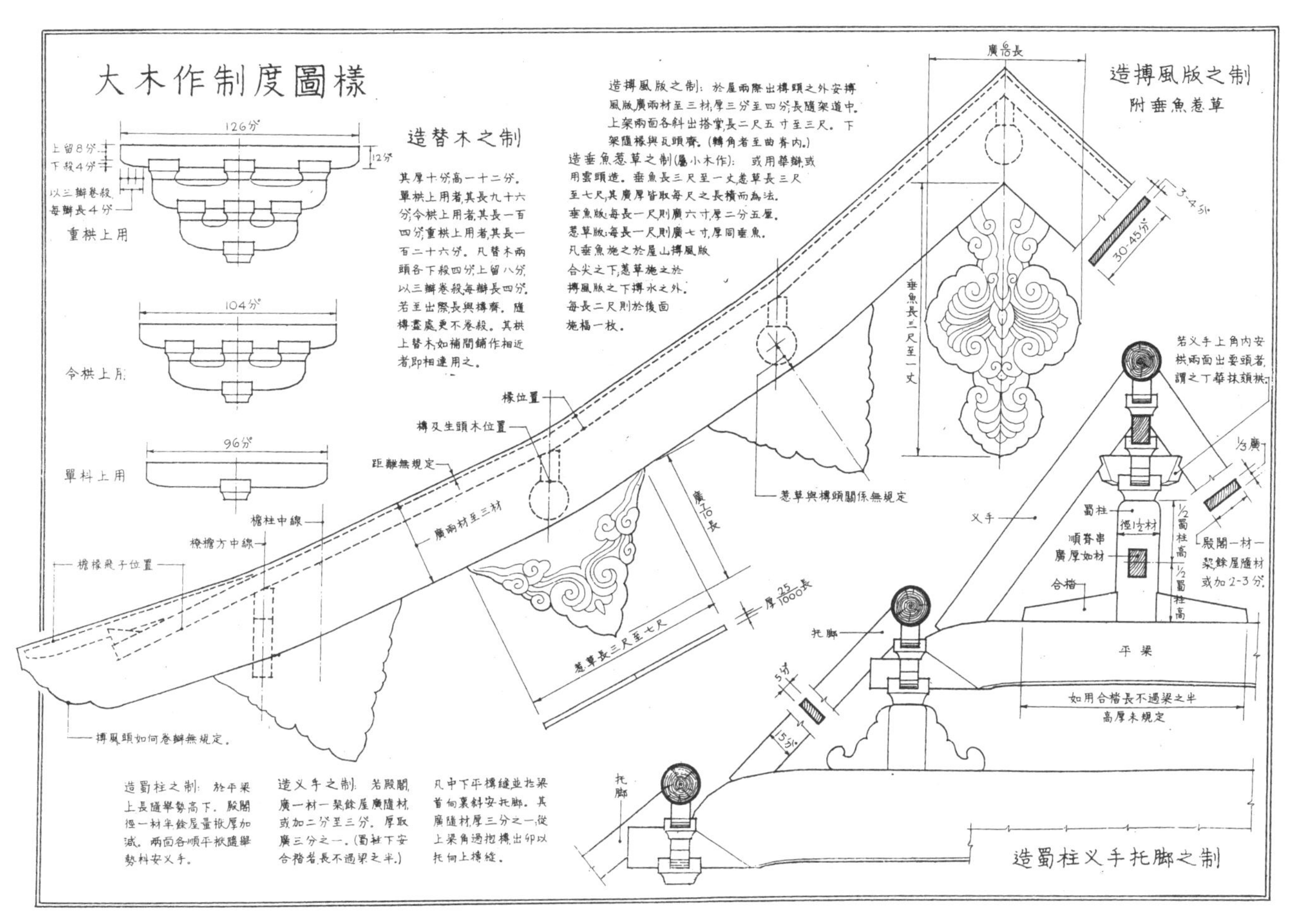

图247 宋《营造法式》搏风板图

图245 檩子头上挂瓦片的农村住宅

图246 悬山屋顶山花上的搏风板、悬鱼、惹草

悬山山花

悬山式房屋的屋顶到左右两侧都将架设屋面的檩子悬出山墙之外，因此才称为“悬山”。为了这些檩子头免受风雨侵袭，所以采取了保护措施，最简单的方法是在这些檩子头上挂一块瓦片，在农村许多住房上常见到这种形式。但多数是用长条木板钉在这些檩子头上，左右各一块呈人字形在三角形的山花顶上相接，这长条木板称“搏风板”。搏风板的接缝处多钉有一条木板，一方面可以加强搏风板的连接，另一方面能起到装饰作用，这木板垂悬在山花顶尖下，形如鱼形，故称“垂鱼”或“悬鱼”。同样，在搏风板和檩木端头相接处，为了更加牢固和美观，也钉一块木板，称“惹草”。宋代《营造法式》对这种搏风板、垂鱼、惹草的形制都有规定，例如根据建筑之大小，垂鱼长三尺至一丈，惹草长三尺至七尺，形式为花瓣纹或者云纹。

在云南丽江城乡可以见到许多悬山屋顶的房屋，它们大多数都是住宅，平缓的两面坡屋顶，檩子从山墙上挑出，檩子头上钉着长条搏风板，板不很宽，能遮挡住伸出的檩子头。左右两块搏风板头在山尖处相接，用悬鱼钉在接缝的外面。悬鱼造型修长，真正做成鱼形的并不多，大多数为变化有致的几何形，一栋房子一个样，很少有相同的。搏风板的另一端多做成各式花纹以作结束。两面山墙的山花部分都是白色粉墙，有的简陋住房直接露出土坯砖。有的在山花处用砖瓦砌出一道屋檐，屋檐依附于山墙上，和上面的搏风板、悬鱼组成简洁而美观的山花，成为丽江地区建筑极富特征的一道景观。

云南西双版纳傣族聚居地区的住宅和佛寺多采用歇山屋顶。左右两面山花的屋顶也用悬山形式。

图248 云南丽江住宅（1）

图248 云南丽江住宅（2）

（1）

（2）

（3）

图249 丽江住宅山花（1）（2）（3）

图250 西双版纳佛寺殿堂山花（1）

图250 西双版纳佛寺殿堂山花（2）

图250 西双版纳佛寺殿堂山花（3）

图250 西双版纳佛寺殿堂山花（4）

图251 云南西双版纳住宅山花

图252 江苏苏州寺庙大殿山花

住宅的山花装饰比较简单，人字形的搏风板和中央的悬鱼，因为当地住宅为竹木结构的干阑房，所以山花都用木板墙，讲究的在木板上绘以花饰，有的画着一只展翅的孔雀，为了显示正好充满三角形山花的孔雀开屏，省去了顶上的悬鱼装饰，在素有“孔雀之乡”的西双版纳，这种装饰既美观又极富地域文化特征。这里寺庙的屋顶比住宅讲究，悬鱼的形式更加多样，串联的宝珠形、几何形，有实心的、镂空的，还有在悬鱼板上装饰镜面的。在搏风板和檩子连接处，都在搏风板上加钉一块小花板，小花板式样、色彩也是一幢寺庙一个样，绝不雷同，它们整齐地排列在搏风板上，再加上屋脊上成排的小兽、小草，使这些山花显得生动活泼，成了佛寺庞大屋顶极重要的装饰。

在南方有些规模比较大的佛寺大殿，由于屋顶体量大，相应的山花搏风板也很宽，为了避免用大尺寸的木板，所以采用窄条木板横向相连而制成大型搏风板。这种搏风板有的不用钉上去的悬鱼和惹草，而是将搏风板制成下端窄、上端宽，渐变的形式，在上端山尖处做出如意头的外形替代了悬鱼。这种搏风板造型舒展，整体感强。以上所举实例用惹草的比较少，

图253 上海松江寺庙大殿山花

倒是在有些建筑群体的院墙门的屋顶上喜欢用惹草装饰，用木板做成如意和卷草的花纹钉连在搏风板上，因为院门比较低，因而它们的装饰作用比较显著。

图254 各地寺庙大殿歇山顶山花（1）

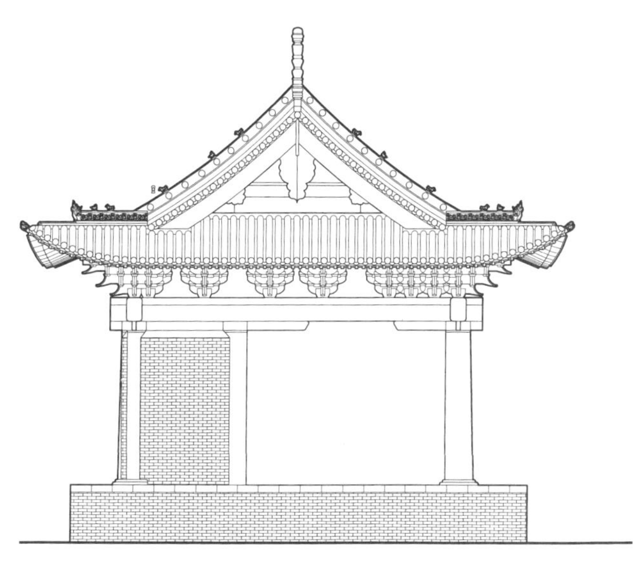

图255 山西翼城武池乔泽庙戏台山花图

图254 各地寺庙大殿歇山顶山花（2）

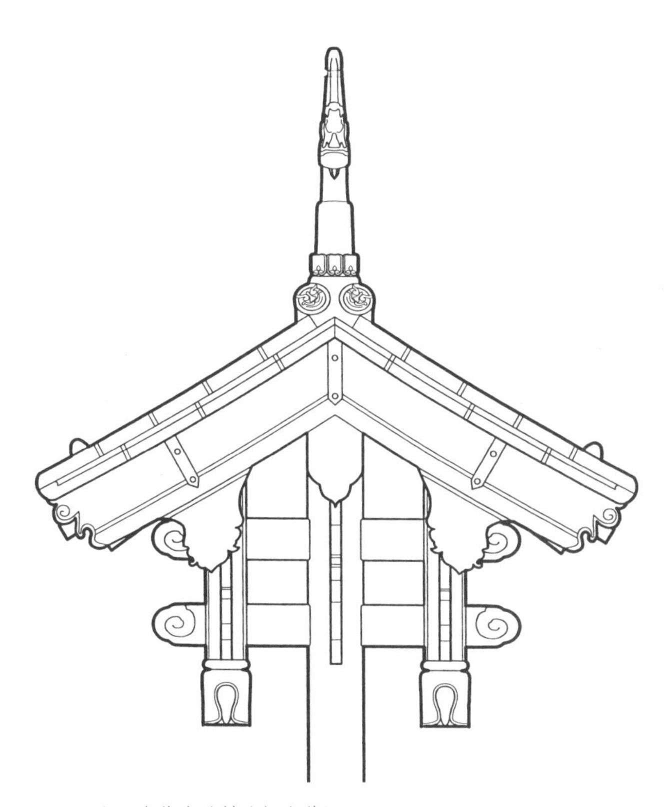

图256 山西介休张壁村院门山花图

图254 各地寺庙大殿歇山顶山花（3）

山西盛出砖瓦，所以建筑上的装饰构件也喜用砖瓦。有些房屋的搏风板也不用木板，而是在伸出山墙的檩子头上钉一长木条，然后在木条上钉挂薄砖，一块块带有花边的薄砖左右相连而成搏风，同时还用花砖钉挂在山尖和檩子头处以作悬鱼和惹草。用薄砖的好处是比木板更耐受雨雪的侵袭，同时更易于和砖墙、瓦顶形成浑然一体的艺术效果。

图260 山西农村住宅砖造悬山搏风板（1）

图260 山西农村住宅砖造悬山搏风板（2）

图257 山西介休张壁村院门山花

图258 山东栖霞牟氏庄院门

图259 山西农村院门山花搏风板

硬山山花

硬山房屋的两头山墙直砌到屋顶，架设屋顶的檩子头被封在山墙内侧，所以山墙整面只是一堵砖墙，完全不需要搏风板、悬鱼、惹草之类的构件和装饰。但是古代工匠却不甘心这样的处理，总要在山墙的山花部分进行一些装饰。从各地的硬山房屋实例来看，这种山花装饰见得最多的是仿照悬山山花搏风板和悬鱼的形式。在广东、福建一带南方建筑上，习惯在砖筑山墙表面抹一层白灰罩面，工匠即在这白灰墙面上沿着屋顶垂脊安搏风板和山尖安悬鱼的位置用彩画绘出装饰，有的还在悬鱼之下，山花中心位置再增加一些花纹装饰，使山花显得很华丽。

在山西、山东、河北、河南等地区，房屋山墙多为砖筑而不抹灰面，这些房屋的山花部分同样也进行了装饰，同样也多用仿照搏风板、悬鱼的形式，但它们不是用彩绘而是用砖材制作。一块块方形或长形的

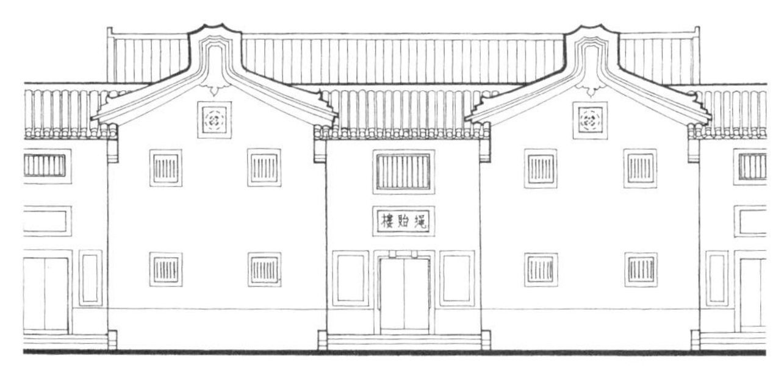

图261 广东梅县农村住房山花图（2）

薄砖砌在山墙上拼成人字形的搏风板。在山花的正中有的还加设雕砖拼成的花纹作装饰，这样的砖雕花饰如果和搏风板相连就成为悬鱼了。值得注意的是，在砖搏风和屋顶的垂脊之间都有一道瓦当和滴水。瓦当和滴水是屋顶檐口的筒瓦和板瓦，它们具有保护檐下结构的作用，但是在这里，这一道瓦当和滴水紧贴搏风，并不具有保护功能，而只是一道很显眼的装饰。瓦当又称勾头，因为这些勾头、滴水排列在山墙上，所以称它们为“排山勾滴”。

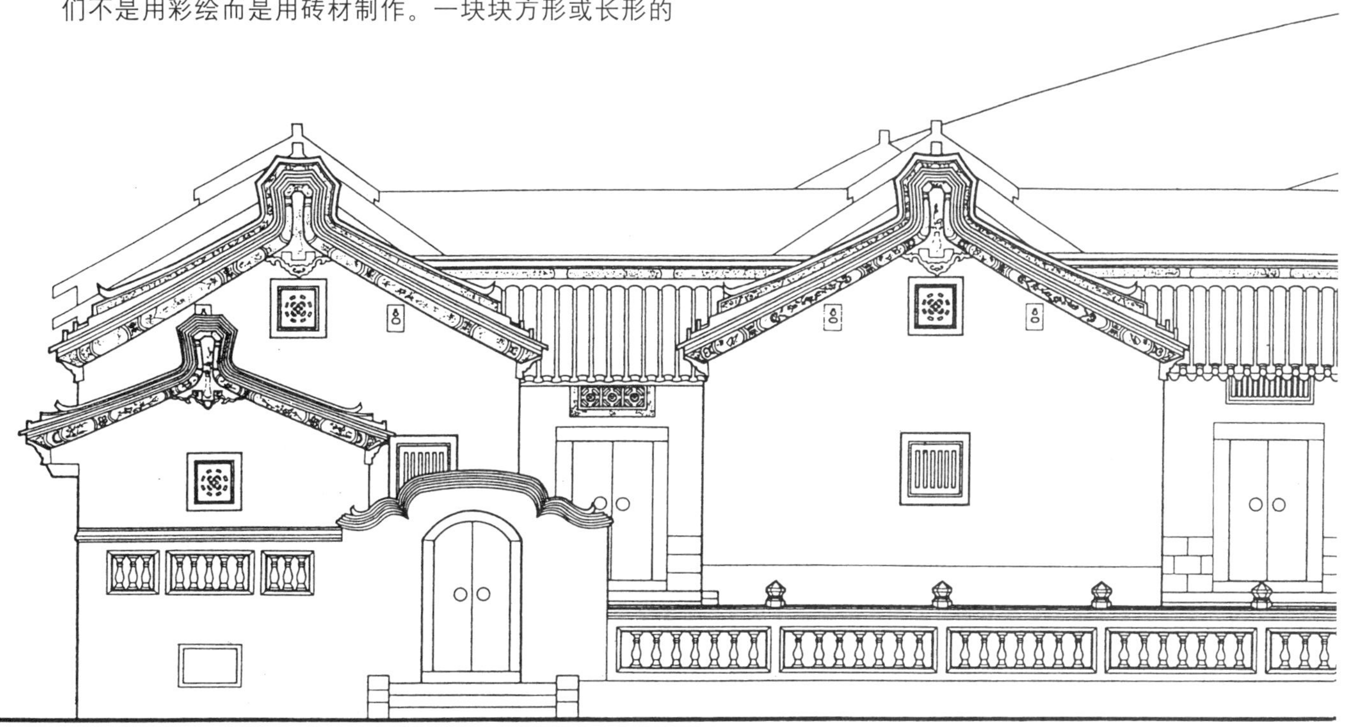

图261 广东梅县农村住房山花图（1）

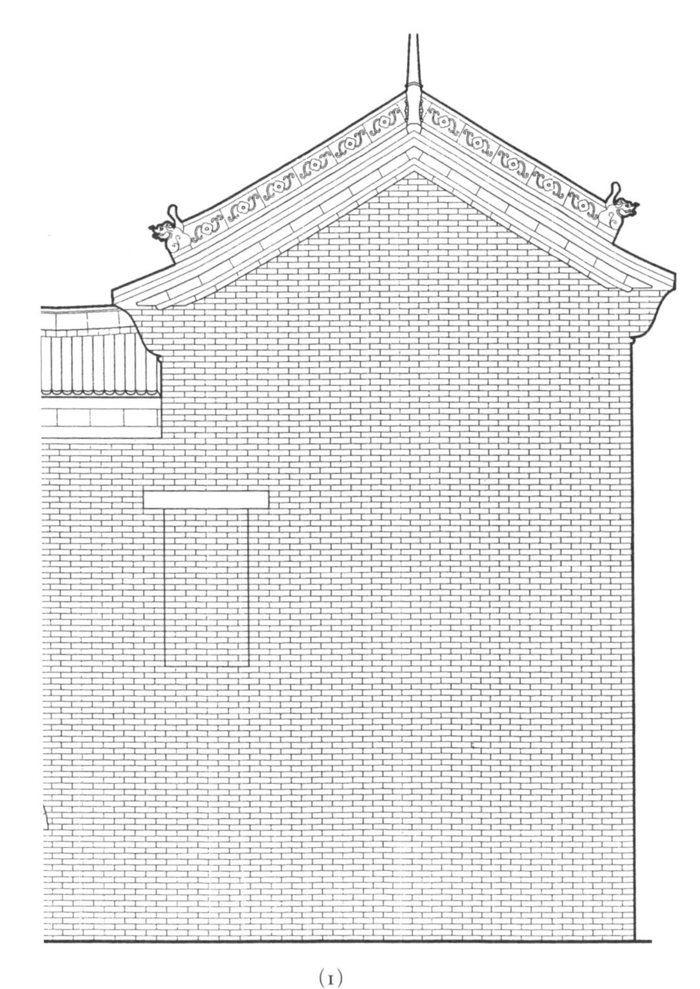

(1)

(3)

图262 硬山屋顶山花图
1.山西沁水西文兴村住宅
2.河北蔚县农村住宅
3.蔚县农村住宅

图263 山西硬山房屋山花 (1)

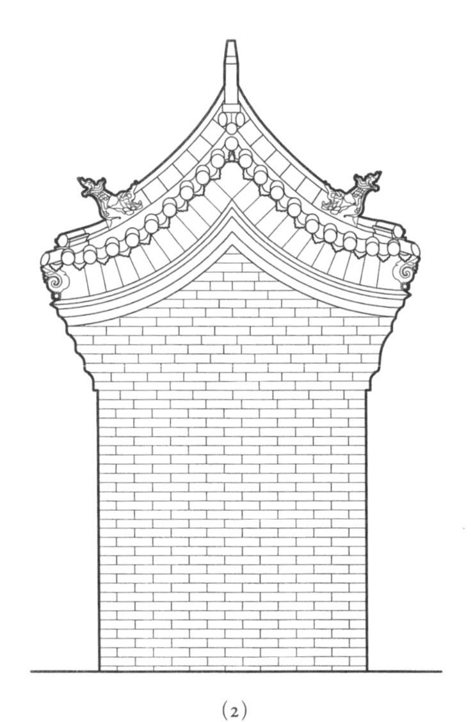

(2)

图263 山西硬山房屋山花 (2)

图263 山西硬山房屋山花 (3)

图264 山东栖霞牟氏庄园住宅山花 (1)

图265 北方寺庙殿堂硬山山花装饰 (1)

图264 山东栖霞牟氏庄园住宅山花 (2)

图265 北方寺庙殿堂硬山山花装饰 (2)

图264 山东栖霞牟氏庄园住宅山花 (3)

图265 北方寺庙殿堂硬山山花装饰 (3)

各地一些佛寺的中心佛殿多用单檐或重檐的歇山式屋顶以显示它们的重要性。这些歇山屋顶的山花部分大多采用硬山而少用悬山形式。在北方，这样的山花和普通硬山房屋一样，用方砖拼联出搏风板，用雕花砖作悬鱼和其他装饰，讲究的还用琉璃砖制作。在南方，有的山花除木料搏风板之外是白粉墙，则在墙上画出花纹装饰；有的则用木板钉成山花墙，在木板上再加各种形式的装饰。在屋脊和搏风板之间与普通硬山顶一样有一道排山勾滴。由于这些屋顶都比较高大，山花位置很高，所以山花上面的装饰注重的是远观的大效果。

图266 南方寺庙殿堂硬山山花装饰（1）

图266 南方寺庙殿堂硬山山花装饰（2）

图266 南方寺庙殿堂硬山山花装饰（3）

图267 南方寺庙大殿硬山木制山花（1）（2）

图268 辽宁沈阳故宫崇政殿硬山顶山花

北京宫殿建筑十分讲究礼制，屋顶形式是表现礼制的重要手段，重檐庑殿、重檐歇山、单檐庑殿、单檐歇山、悬山、硬山组成由高到低不同等级的屋顶系列。因为是皇帝使用的宫殿建筑，它们与普通房屋相比，即使是同一种屋顶形式，在用料和装饰上往往也有区别。例如硬山式的山花装饰，普通房屋用方砖和雕砖拼出搏风板和装饰，而在紫禁城和沈阳故宫里，硬山房屋的山花上则是用琉璃砖拼出搏风板和其他装饰，在这里，砖搏风成了琉璃搏风。同样是歇山顶，这里的山花装饰比普通建筑要复杂和讲究。北京天安门是明、清两代北京皇城的大门，它的重要性仅次于紫禁城的四面城门，因此采用的是重檐歇山式屋顶，在上层檐两头的山花上，紧挨着上面的垂脊是人字形的搏风板，板与脊之间装饰着一道整齐的排山勾滴。宽宽的搏风板上有一组组由七个圆钉组成的钉子头，正是由这些钉子将搏风板钉在檩子头上。但是在硬山的山花上，这些原本有功能作用的搏风板和铁钉子都失去了它们的实用性而变为纯装饰构件了。在搏风板以下的三角形山花上是由圆形玉环和绶带组成的花饰，玉环每四个一组，环环相套，共有九组上下左右套联在一起，并用绶带贯穿其间，满布于山花上。绶带、玉环是古时帝王带在身边的装饰，象征着高贵。黄色琉璃的脊瓦和排山勾滴，大红色的搏风板和山花板上金色的钉头和玉环绶带，这由红色与金色组成的山花显出一副宫殿建筑应有的华丽与高贵。这样的装饰在紫禁城的歇山山花上几乎成了统一的格式，只是在次要的建筑上，搏风板上的金钉省去了，山花板上的玉环没那么多了，由九组减少到七组、四组，但它们的装饰效果仍是那么鲜明而突出。

图269 北京天安门歇山顶山花

图270 紫禁城宫殿歇山顶山花

热闹的屋面

图271　筒瓦屋顶图

中国建筑无论采用哪种形式的屋顶，瓦面总占绝大多数面积，而屋脊只是两个屋面相交的一条线，但是从前面章节所介绍的几乎都是屋脊的形式与装饰，其实大面积的屋顶瓦面，工匠对它们也是颇为用心的。

在房屋建造工程中，屋顶的铺瓦是一种专门的技术。以屋面瓦的材料区分，主要有青瓦（即普通陶瓦）和琉璃瓦两种，也有两种瓦混用的。

青瓦屋顶

先看青瓦屋顶，按不同的做法可以分以下几种：

一为筒瓦屋顶：即以青瓦成行地仰面铺放在下面作为底瓦，这样的瓦称为板瓦，在两行板瓦之间覆盖筒瓦，在屋面上见到的是一行行主要由半圆形的筒瓦组成的瓦垄。二为合瓦屋顶：即以板瓦仰面铺放作底瓦，在底瓦上不用筒瓦而用同样的板瓦凸面朝上覆盖在底瓦之上，所以屋面上见到的是完全由板瓦组成的瓦垄。在北方为了房屋的保温，都在屋顶的望板上铺设一层灰泥，然后将板瓦固定在灰泥上。在南方，不需要这层泥灰而直接将板瓦铺设在屋顶的望板或者望砖上，有些乡间房屋，更有直接把板瓦铺在椽子

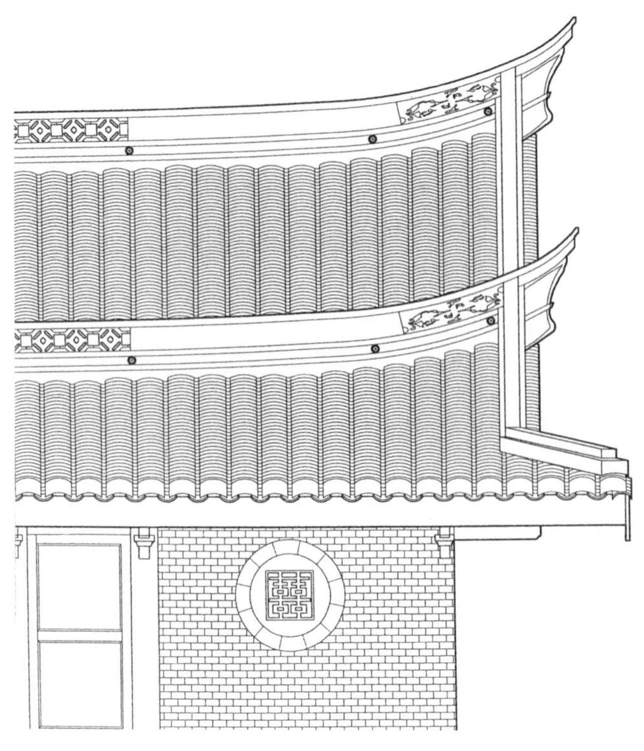

图272　合瓦屋顶图

上的。三是干搓瓦屋顶：它的做法是将板瓦凹面向上铺设在屋面上，这些仰面的板瓦一行紧挨着一行，两行之间不留空隙，在两行接缝上面不用筒瓦也不用板瓦覆盖。这种瓦顶必须要将板瓦铺设在灰泥层上，并且还必须用灰泥将两行仰瓦的接缝填实以防漏水。这种干搓瓦顶的优点是做法比较简单，总体重量轻，减少了屋顶木结构的承重，只要施工仔细，防水性也比较好，在气候干燥少雨的北方常见到这种屋顶。它的屋面效果虽不像筒瓦和合瓦屋顶那样有明显的瓦垄，但总体上也很整齐划一。这些青瓦屋顶，为了防止大风吹掉瓦片，有时也在瓦上加瓦钉或压砖块，排列整齐的瓦钉与小砖也起到装饰的作用。对于这类青瓦屋

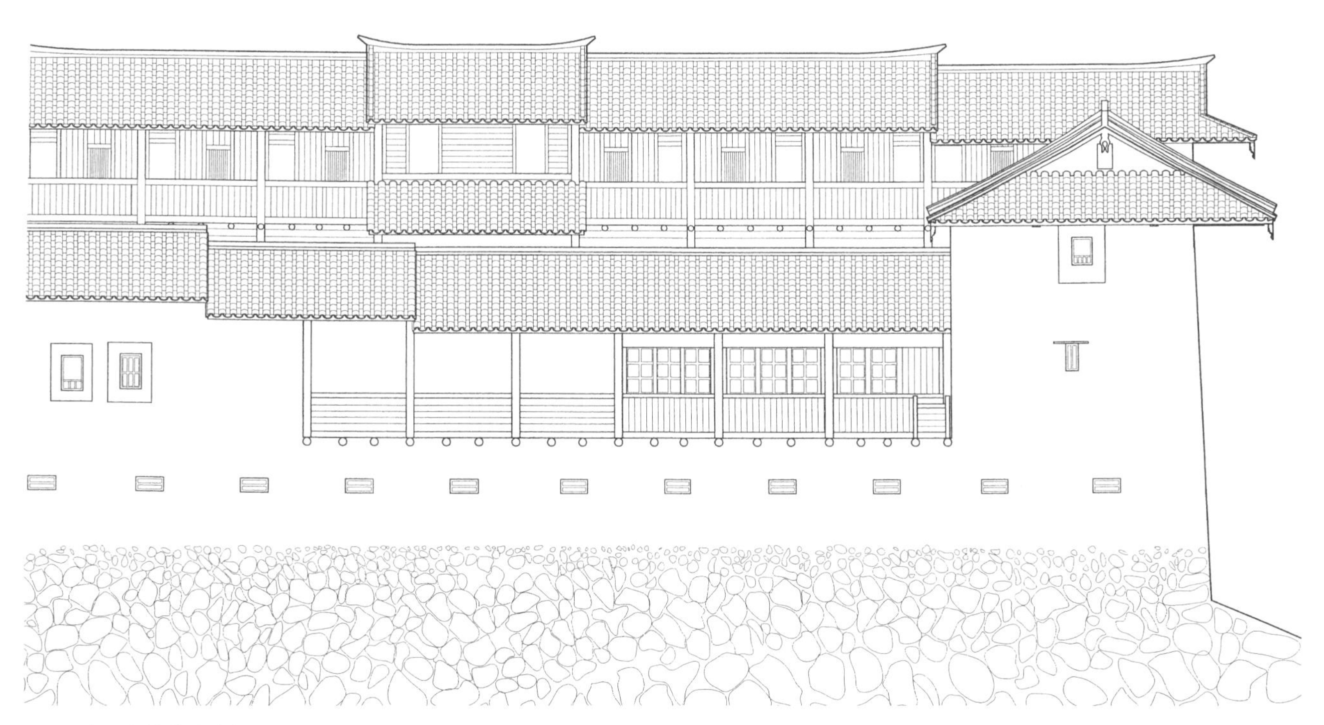

图273 南方农村简洁的合瓦屋顶图

图274 福建南靖农村祠堂的合瓦屋顶

图275 福建福州寺庙的合瓦屋顶

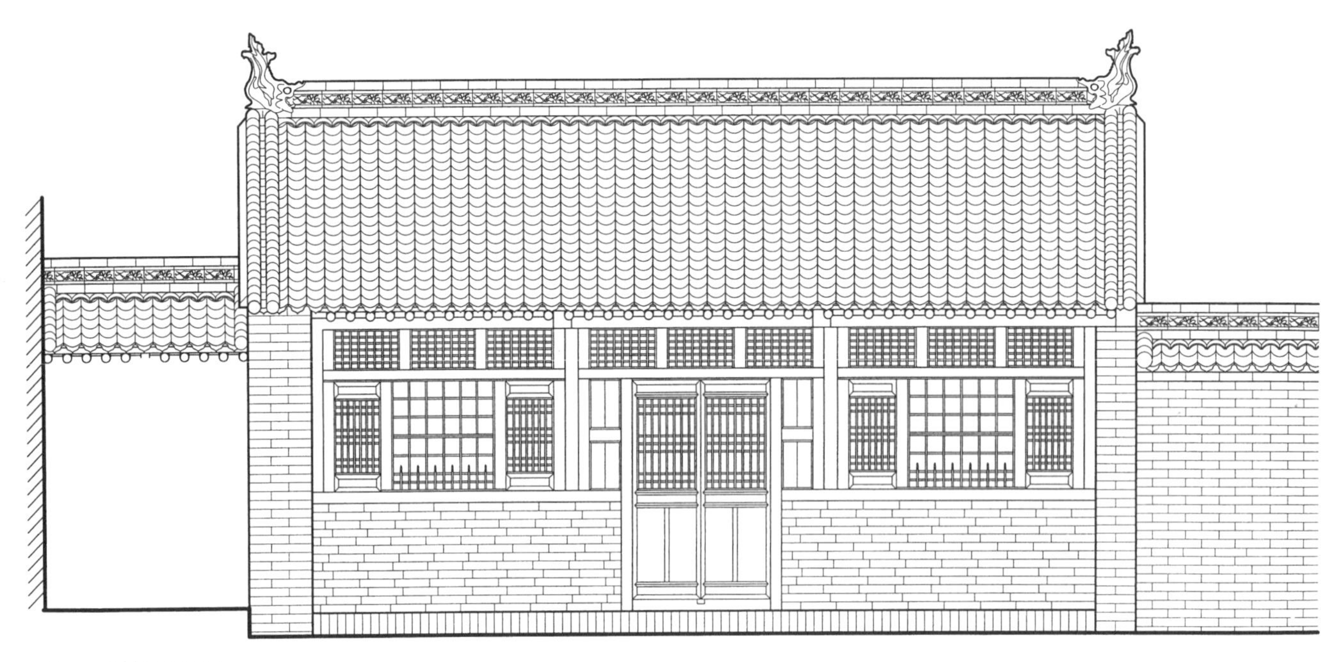

图276 干搓瓦屋顶图

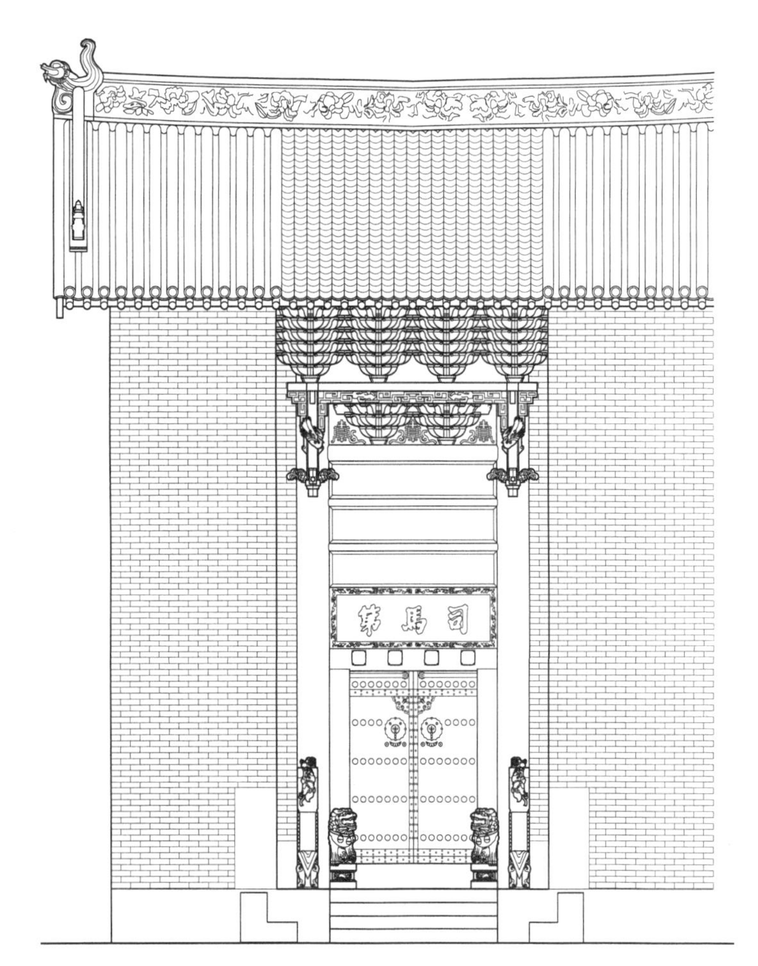

图277 筒瓦与干搓瓦合用屋顶图

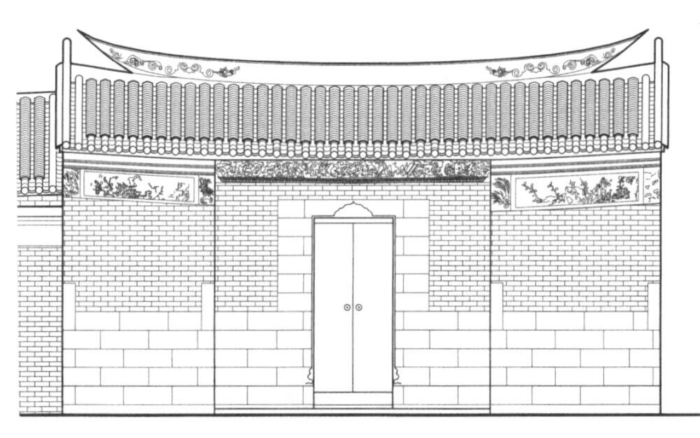

图278 筒瓦与合瓦合用屋顶图

图279 广东东莞南社村祠堂屋顶

顶，工匠注重的是它们的施工规矩和质量，例如屋顶望板上灰泥层的均匀度，仰瓦左右排列的整齐，仰瓦、覆瓦上下的扣压长度，每一条瓦垄的垂直和通畅等等。一座施工质量好的瓦顶不需要别的装饰，它们本身就会显示出一种具有规则性和秩序感的装饰美。

这类单纯简洁的屋顶有时也会被一些特殊的设置所打破。山西冬季寒冷，住宅卧房多用烧煤的火坑取暖，煤烟经砖砌的烟囱排出屋面，而这些烟囱出口都设在屋顶上。为了美观，这类出烟口有的做成小方亭，方亭四个开间为出烟口，亭子上设四方攒尖屋顶，顶端的宝顶和脊上的小兽，一应俱全，甚至小瓦当头上都有雕刻花纹，这样的烟囱近看很细致，远观成排的小亭伫立屋顶显得也很有情趣。南方农村民宅的厨房，屋顶用的是干摆瓦，即将板瓦直接排放在椽子上，为了排放厨房中烧柴禾的烟，有的在屋顶上开若干个口，开口不能露天，所以上面仍有瓦顶遮盖，这样的排烟口好像是在屋顶上撕开的一条缝，凸显在瓦顶之上，每当日出与日落，缕缕炊烟自农家升起，飘浮在黑瓦顶上，也是乡村一道特殊的景观。

图280 山西城乡住宅屋顶烟囱（1）

图281 福建农村住宅屋顶排烟口

图280 山西城乡住宅屋顶烟囱（2）

琉璃瓦屋顶

琉璃瓦也是用泥土制坯，但与青瓦不同的是在入窑之前外表需要上一层釉，烧出的瓦表面带釉，质坚而光滑，不但比青瓦坚实，而且防水性能好。同时，还可以用不同配方的釉烧制出不同色彩的瓦，给瓦面装饰带来很大的方便。

北京紫禁城的宫殿可以说是采用琉璃瓦最多的建筑群体，自中轴线上的主要殿堂到两边的次要宫室都采用一色的黄琉璃瓦。在红、黄、青、黑、白五种颜色中，黄色居中，为土地之色，所以被认为是正宗之色，最美之色，宫殿大量使用黄色琉璃瓦自然显示出封建帝王之尊贵与权势。在这些宫殿的屋顶瓦面上不见其他装饰，只有排列整齐，施工精良的条条瓦垄，还有排列在檐口和屋面中间的一排排琉璃钉帽，正是这些规整的瓦垄与钉帽表现出一种秩序之美，显示出一种宫殿应有的严肃与神圣。在紫禁城内，也有少量建筑是不用黄琉璃瓦的。例如在御花园和宁寿宫花

图282 北京紫禁城宫殿黄琉璃瓦顶

图283 紫禁城御花园建筑琉璃瓦顶

图284 北京北海寺庙大殿集锦琉璃瓦顶

图285 沈阳故宫文溯阁屋顶

园，这是专供帝王休息游乐的园林区，在这里的亭子顶上多用黄琉璃瓦而在四周檐口用绿色或蓝色琉璃瓦镶边，或者用黄、绿、蓝等各种颜色的琉璃瓦在屋顶组成各种图案，这种方法前者称“剪边”，后者称“琉璃集锦”。这样的屋顶比全一色的黄琉璃瓦顶显得更为美观而活泼，与四周花木、山石的园林环境更为协调，适用于园林建筑的屋顶。紫禁城内还有一处文渊阁是专作藏书和供皇帝读书讲学的宫殿，殿四周有堆石、流水布置，环境很幽静。文渊阁屋顶用的是黑色琉璃瓦，绿琉璃瓦剪边。按阴阳五行学说，黑色为北方之色，代表北方之神兽玄武，即龟。龟为水生动物，习水性，水能灭火，贮存图书自然最怕火灾，文渊阁特别用了黑色琉璃瓦，可能有以水克火的象征意义。在沈阳故宫有一座与文渊阁同样性质的文溯阁，也用的是这样的瓦。使用不同颜色的琉璃瓦除了表现不同性质的建筑之外，还有显示高低不同等级建筑的象征作用，黄琉璃瓦成了帝王宫殿建筑的专用瓦，清朝廷因此还制订了非宫殿建筑不许使用黄琉璃瓦的规定，所以在北京，从王府到一般百姓住宅上见不到黄琉璃瓦，一些规模较大的王府允许用一些绿琉璃瓦或剪边，已经是十分高贵的了。但是朝廷的这种规定并不能贯彻到基层，在各地城乡的一些讲究的寺庙、祠堂、会馆等建筑屋顶上，仍可见到用黄琉璃瓦和其他颜色琉璃瓦组成的集锦，甚至全部使用黄琉璃瓦的屋顶。

(1)

(2)

(3)

图286 各地寺庙大殿的琉璃瓦顶（1）（2）（3）

图287 山西平遥古城市楼琉璃瓦顶

民族地区屋顶

在少数民族地区的一些寺庙等重要建筑上，可以见到其他形式的屋面装饰。云南西双版纳傣族聚居地区的南传佛寺，由于供奉的佛像比较高大，从而使佛殿体量大，屋顶高，除了将屋顶作分割处理外，也很注意屋面上的装饰。常见的形式是在接近正脊中央和两头正吻的地方，用灰泥在瓦面上塑造花纹，这种灰塑高低起伏很小，基本上是薄薄一层紧贴屋面，花纹多用植物卷草和几何纹组成，为了增强它们的装饰效果，喜欢用明亮的玻璃镜片镶嵌在花饰的中心和边缘，圆形的大小镜片，在阳光照耀下，反射出耀眼的眩光，产生出一种特殊的效果，成为这一地区佛寺上很有特点的一种装饰。

西藏地区的藏传佛寺规模比较大，一座寺庙由多座佛殿相连成片，其中有汉族传统建筑的歇山屋顶，有当地建筑习惯用的平屋顶。藏传佛教常用的法轮、法幢等装饰，如果是歇山屋顶则用于中央正脊之上，如平屋顶则放在屋顶的边沿以便于观赏。以拉萨市的大昭寺为例，大昭寺始建于唐代，后经元、明、清几代多次扩建而成今日之规模，由多座经堂、佛殿、仓库、办公楼等组成的建筑群体，面积达2万多平方米，成为西藏地区著名的佛寺之一。在佛寺入口门廊的屋顶中央装饰着卧鹿法轮，供在莲瓣座上的法轮居中，两旁各有一只鹿。法轮是佛教八宝之一，它象征着法轮常转，佛法无边；双鹿跪地，昂首朝向法轮，象征着众生听法，连兽畜也能领悟。在门廊屋顶的左右两角各立着一座法幢，幢原为伞盖状的丝织物，顶上装着宝珠，挂在长竿上，供在佛像前。如果将佛经书写在幢上，称为经幢。经幢的影子映在人身上，则可免受罪垢污染。后来，用石料制成丝帛的经幢形状，并将经文书刻于石上，则成石经幢，常见于寺庙中，位置多在主要佛殿之前。经幢也为佛教八宝之一，称法

图288 云南西双版纳佛寺大殿屋面装饰（1）

图288 云南西双版纳佛寺大殿屋面装饰（2）

幢，在这里用铜制成的法幢，幢顶装着一圈风铃，幢身上有文字和各种花纹装饰，竖立于屋顶两角，与中央的法轮相互呼应。另外，在大昭寺中心佛殿四角的方形小殿的平屋顶上，中心位置立着一座金端，四个角上各立着一座法幢。金端的形象由宝珠、金铃、仰莲瓣几个部分上下串联而成，是藏族佛寺屋顶上常用的装饰。这些法轮、法幢、金端、双鹿都为铜制，外面镀金，在西藏特有的蓝天衬托下，闪闪发光，具有很强的装饰效果。西藏地区的佛寺不仅在中国，而且在全世界也称得上是一种极有个性的宗教建筑，这种个性的形成有多方面的因素：在当地藏传佛教的全民

图289 西藏拉萨大昭寺门廊屋顶卧鹿法轮装饰

图290 大昭寺法幢装饰

图291 大昭寺小殿屋顶装饰

图292 四川康定藏传佛寺屋顶装饰

图293 康定藏传佛寺的法幢装饰

图294 康定藏传佛寺的金端装饰

图295 西藏拉萨布达拉宫一角

信仰和政教合一，因而造成寺庙功能的多样化和佛寺规模的庞大；依地势而建的连片殿堂组成有宏伟气势的建筑群体；采取具有地方特色的多种装饰手段，等等。这些装饰手段包括用大面积的红、白两色的墙体，石头墙面和边玛草墙檐所具有的粗犷质感，连排的梯形和黑色的窗框，以及屋顶和墙面上镀金的装饰物，等等。其中位于建筑屋顶的种种装饰，由于位置最高，形象突出，色彩鲜明，它们不但具有佛教的内涵，而且还极富视觉的冲击力，从而成为构成西藏寺庙特殊艺术形象中的重要因素。

屋面装饰物

我们在前面讲述屋顶正脊的装饰中已经看到，正脊上附加的装饰花样越来越多，尤其喜欢在正脊的中央竖起一个突出的装饰形象，有亭台楼阁的，有小喇嘛塔式的，有多层楼阁式宝塔的，为了使它们能够稳固地立在长条的屋脊上，需要用铁链子从前后拉住，一般是用前后各两条铁链呈八字形拉向屋面，将铁链用钉子固定在瓦面上，铁钉从瓦面上钉入直至屋面下的构件，钉子头露出瓦面以系住铁链。在有的建筑上，逐渐把这些露在瓦面上的钉子头进行了包装，用一个陶制的或者灰塑的人物，或兽类套在钉子头上或立在钉子之前，于是装饰物开始由屋脊、正吻、宝顶走向了屋面，这种装饰由简单的人物、兽类逐渐发展而至成组的人物，它们的位置也离开了钉子头而跑到屋面中央或者四角上去了。而且这些由人物、动物组成的装饰也开始出现在正脊上没有装饰没有铁钉头的屋面上了。原来有功能作用的铁钉逐步发展成为一种纯装饰构件，于是文臣武将、山石、植物、奇禽异兽都出现在屋面上，宽阔的屋面成为一座大舞台，任凭工匠在这里施展他们的才能与智慧。

图296 各地寺庙大殿屋面上装饰（1）

图296 各地寺庙大殿屋面上装饰（2）

图296 各地寺庙大殿屋面上装饰（3）

图296 各地寺庙大殿屋面上装饰（4）

图296 各地寺庙大殿屋面上装饰（5）

图296 各地寺庙大殿屋面上装饰（6）

图296 各地寺庙大殿屋面上装饰（7）

图296 各地寺庙大殿屋面上装饰（8）

屋顶组合

图297 宁夏吴忠市由清真寺屋顶组成的天际线

在前面的章节里，我们分别讲述了古建筑屋顶的各种形式和它们各部分的装饰形态，现在应该将眼光扩大，由单座建筑的屋顶扩大至建筑群体的屋顶，由简单的建筑屋顶扩大至复合的屋顶，也就是说从屋顶的组合去进一步探讨它们的形式特征与规律。

屋顶组合包含三方面内容：其一是多座建筑屋顶的组合；其二是一幢建筑具有多个屋顶的组合；其三是单幢建筑大体量屋顶的组合造型。

现在从大到小，从整体到个体，首先看多座建筑屋顶的组合。中国古代建筑如果与西方古代建筑相比，它们的特征除了采用木结构以外，建筑的群体性也是主要特征之一。住宅是所有建筑中最普及最大量的类型，至少从2000年以前的汉代开始就有了四合院的住宅，即用单座房屋四面围合成院组成一幢完整的住宅，这种建筑群体式的住宅始终成为中国住宅中的主要形式。有意思的是这种四合院不仅适用于住宅，而且也同样成为宫殿、陵墓、寺庙等类型建筑的形式。一座占地72万平方米、建筑面积有16万平方米的庞大紫禁城，完全是由大大小小的四合院组合而成，从宏大的前朝太和、中和、保和三大殿，后宫乾清、交泰、坤宁三大宫，直至皇帝、帝后、太后、太子、皇妃等居住的东、西六宫和五所，无不都是由宫室围合而成的四合院。皇陵是封建帝王死后的宫殿，所以它们的布局与宫殿一样，有前朝与后宫，主要宫室排列于中央轴线上，四面有配殿、廊屋围合成院。佛教自传入中国，传教的法师和带来的经卷就被安置在专门接待外来客人的四合院里，后来四合院成了中国佛寺的通用形式。园林是供人们游乐休息的场所，所以环境力求自然，不需要像四合院那样的规整和封闭，园内建筑之间讲求相互对景的观赏效果。由于中国园林的多功能性，皇家园林中除了供帝王游乐之外，还要在园内上朝处理政务，私家园林的主人不仅在里面游玩，还同时在园内读书、习画、会友，因此园林内也出现了类型多样，数量也不少的建筑群体。总之从宫殿、陵墓到寺庙、园林、住宅，都由众多的建筑组成为建筑群体，同时也出现了这些建筑的屋顶组合。众多的不同类型建筑群体组合成乡村与城镇，在这里，建筑更加多样化了，建筑屋顶的形式也更加丰富了，多样的屋顶组成为一座城市和乡村的天际轮廓线，它们有时可以成为一座城市和乡村富有特征的标志。

图298 浙江永嘉林坑村俯视

图299 林坑村房屋屋顶

图300 福建南靖田螺村俯视

在浙江永嘉楠溪江流域的上流，有一座林坑村，它坐落在群山夹峙的山坳里，一幢接一幢的房屋依山势而建，组成一片村屋。楠溪江流域绿水青山，风光绮丽，如今是国家级自然风景区，几十座村落建在沿江两岸，有的临水，有的依山。这里的建筑有一个共同的特点就是简洁朴素。木结构梁架，白粉泥巴竹笮墙，梁枋上不施彩画，门窗上也没有复杂的花格，屋顶上用普通青瓦作底瓦和覆瓦，屋檐不用瓦当与滴水，连屋脊也只用青瓦扣覆没有其他花饰。两面坡的悬山顶，山面上不用搏风板，只用瓦片遮挡住伸出的檩子头。这些朴素的建筑坐落在青山绿水和片片农田之间，满山翠竹，山间野花，春季农田的成片油菜花依然把村落打扮得十分秀丽。我们站在半山坡，俯望林坑村一片黑色瓦顶，能够领略到一种自然朴素的美。同样在福建南靖县有一座田螺村，村里的建筑主要由五座土楼组成，一座方形的居中，三座圆形和一座椭圆形的围在四周。土楼是当地客家族百姓的一种住宅，古时客家人自外地迁居至福建，为了相互照顾，免受外界侵扰，创造了这种大型的住宅，外为厚土墙，内为木构架，有很强的自卫功能，一座土楼可容几十户农家共住。土楼和楠溪江农村住宅一样，风格也十分简朴，黄土的墙，青瓦的顶，墙上极少装饰，屋顶用青瓦扣脊，檐口不用瓦当、滴水。就是这样的几座土楼卧伏在山坳里，创造出人间的一种奇观，它们朴素的屋顶被誉为“天上掉下来的飞盘，地上长出来的蘑菇”。

云南丽江县是纳西族聚居的县城，在前面已经介绍过当地的建筑特征，悬山式屋顶，青瓦覆盖的屋面，除了有山花、悬鱼的装饰外，屋顶基本上没有其他雕饰。古城如今仍保存下一大片中心传统建筑区，站在山冈上远观古城，侧看为山花组成的画面，俯视为一片青色瓦顶，朴素而不单调。

四川丰都县素有“鬼城”之名，城隅有平都山，建有殿、阁、楼、台，临江而立，有古人在此修道成仙。这些殿、堂、楼、阁有的扣着硕大的歇山屋顶，有的覆盖着高峻的攒尖屋顶，青色瓦面，奇巧的脊饰，以青山作底，绘制出一幅多彩的仙境般的琼楼画面，极大地增添了丰都的神秘气息。

现在我们将目光由乡村、城市的整体转向一组组建筑群体。在群体中无疑地以宫殿建筑群最庞大而隆重，其中北京紫禁城是最突出的代表。位于紫禁城北面的景山是在建造紫禁城时利用挖掘护城河的土堆积而成的山体。如今站在景山顶，俯望紫禁城，见到的是一片黄琉璃瓦顶，在阳光照射下，高低起伏，好似金色的波浪，显示出一派帝王的辉煌。宫殿建筑也包括皇帝的陵墓和园林，明、清两代的皇陵，都是由碑亭、殿堂、城楼组成的建筑群体，由单檐、重檐的黄琉璃瓦构成的歇山式屋顶组合，在四周青山的衬托下，突出地显示出皇家建筑的气势。北京颐和园作为清乾隆皇帝亲自策划和指导建造的一座大型皇家园林，一方面要营造出具有自然山水景观的环境，同时又要表现出皇家建筑的气魄，所以在颐和园里出现了成组的宫殿建筑群体。位于万寿山中央的排云殿是为慈禧太后做寿的宫殿群，全部用歇山式屋顶和清一色的黄琉璃瓦；其后面的佛香阁、智慧海是一组宗教建筑，它们分别用了八角攒尖顶和歇山顶，顶上用黄琉璃绿剪边和黄绿二色的集锦琉璃。这前后两组建筑依山而建，雄踞于颐和园的中心位置，显示出皇家园林的气势，成了全园标志性的景观。

除了皇家的宫殿建筑之外，各地的寺庙也多具有一定规模的建筑群体。位于颐和园中心区排云殿左右两侧各有一组佛教建筑转轮藏和五方阁，它们都由多

图301 云南丽江古城俯视

图302 四川丰都县城远望

(1)

(2)

图303 北京紫禁城远观（1）（2）

图304 北京颐和园万寿山建筑群

座殿、阁、楼、台等建筑组成的群体，分别采用了歇山、攒尖屋顶的形式，并且都覆盖着绿色琉璃瓦，它们凭借密集的屋顶和清一色的琉璃瓦所构成的形体位居排云殿两侧，对中央的主体建筑起到很好的衬托作用。

各地乡村里的寺庙在一乡一村里具有重要的地位，它们不仅规模比一般住宅大，而且装修、装饰都比较讲究。山西临县碛口镇有一座黑龙庙，位踞镇里的卧虎山上，居于全镇最高点，俯视着黄河水口。

图305 河北易县清西陵建筑群

图307 转轮藏建筑群

图306 颐和园转轮藏建筑群立面

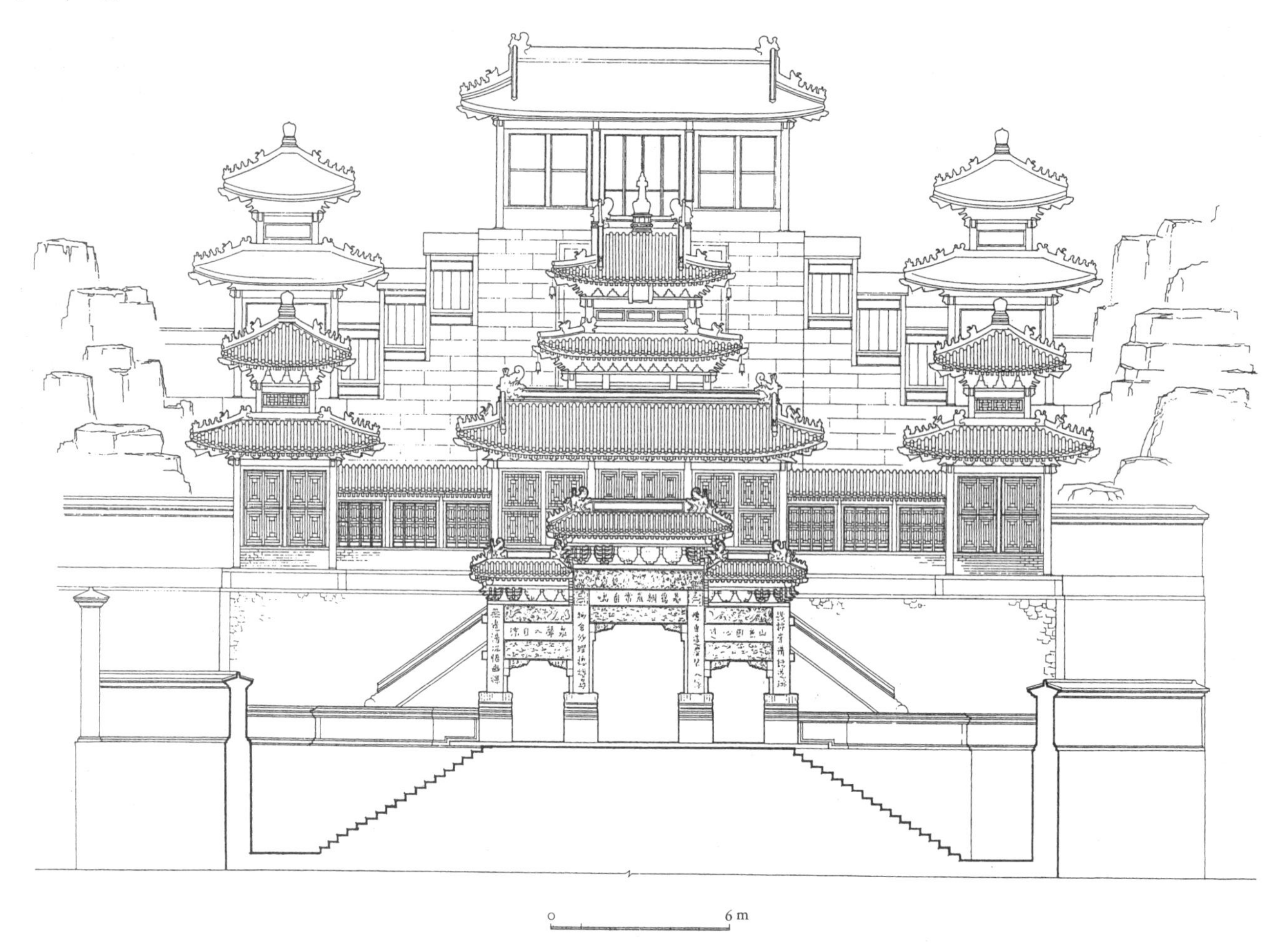

图308 颐和园五方阁建筑群立面

碛口镇位于山西吕梁山区，黄土形成纵横沟壑，天气干旱少雨，自然地理条件相当恶劣，但它正处于黄河与湫水交汇处，自甘肃、宁夏等地的货物经黄河水运至此无法再往前行，只能将货物搬上岸，再用骡马、骆驼经旱路分运至山西、河北等内地，于是临黄河的碛口成了货物的集散地，热闹的商贸中心。在这里，日夜来往的船只，无数的商人与船夫最需要的是人身的平安，于是，他们请来了龙王。龙是古代中国的神兽，是中华民族的图腾，古代形容龙能登天，能潜入江海，又能呼风唤雨，总之龙具有莫大的神力，既能保护来往百姓的平安，又能召唤雨水润湿吕梁旱地。所以当地百姓在卧虎山上建造了一座黑龙庙，并且精心地塑造了它的形象。庙里有供龙神的正殿，有唱戏

图309 五方阁建筑群

图311 黑龙庙远视

的乐楼，但是乐楼正面朝外，所以特别用了歇山式的屋顶，而且还在楼外加建了一座两层楼的门脸，门脸上又用了歇山式屋顶，下面还有一层腰檐。乐楼左右两侧是钟楼与鼓楼，它们只是方形的亭子，但却用了十字歇山屋顶，显得很华丽，在两边衬托着乐楼。经过这样的塑造，如果从黄河之滨，从碛口镇上仰望黑龙庙，它的形象是很突出的，确能够给百姓带来心理上的寄托与慰藉，而乐楼、门楼、钟鼓楼的屋顶在其中起到了十分重要的作用。

河北蔚县北方城村有一座真武庙，真武神在民间有广泛的信仰，作为村里一座主要寺庙，被建在村中心的高台地上，面向村中街道。在这条长约100米的街上，还有马王庙、财神庙等几座小庙，它们与真武庙

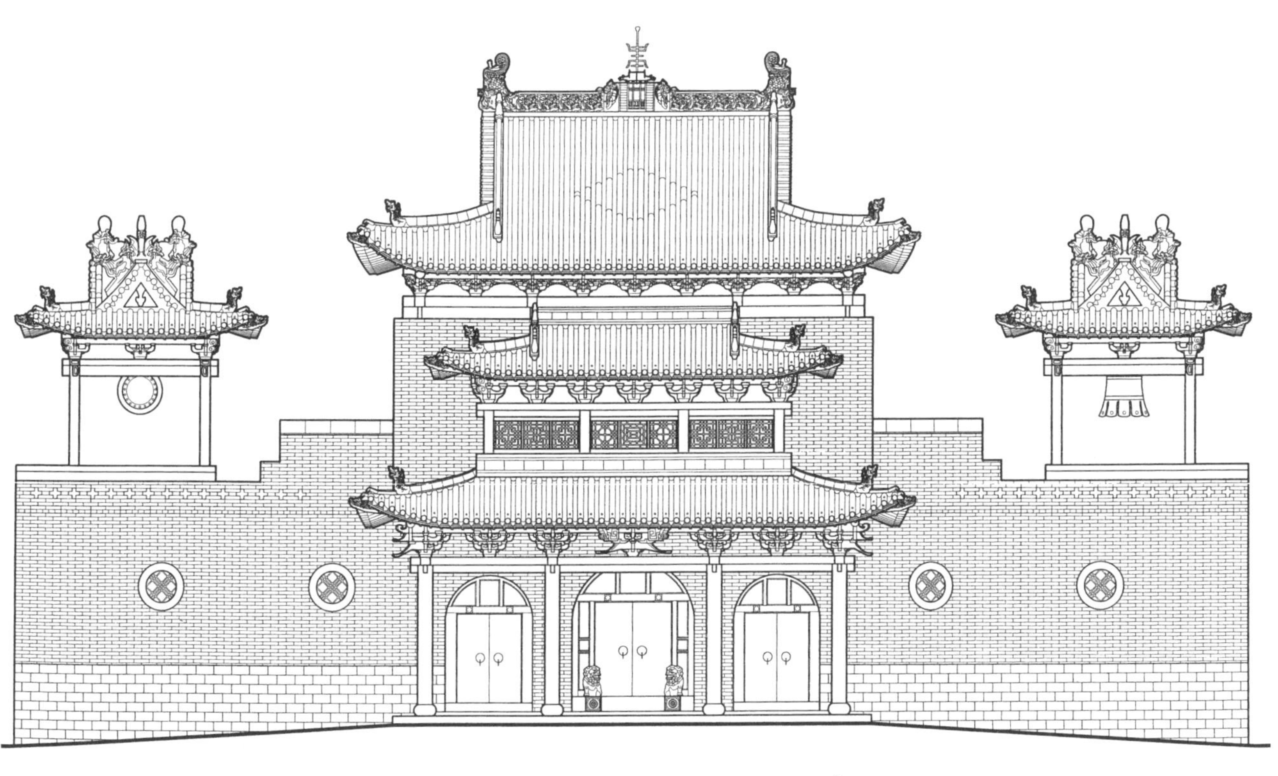

图310 山西临县碛口镇黑龙庙立面

组成一个群体。从建筑风格上讲，这几座庙大者三开间，小者只一开间，都是砖墙瓦屋顶，但由于所处的位置不同而分别用了悬山、硬山、有屋脊和无脊的卷棚多种形式的屋顶。其中以高台上的真武庙和两侧的钟亭、鼓亭最讲究。高高的屋脊，中央有三叉戟作装饰，两头的正吻也很高大。其次为街道前端和中段的三座小庙，用硬山顶和有装饰的正脊。其他如庙门、厢房都只用硬山卷棚顶和没有脊饰的硬山顶。这样的做法当然不是无意识的，而是工匠根据各座寺庙的重要性和所处位置有意识做出的选择。如今从村道南头往北观望，由于有逐步升起的三级台地，所以展现在眼前的几乎是一幅由这些殿堂屋顶所组成的图像。

在云南宾川县鸡足山中有一座祝圣寺，是远近闻名，香火很盛的佛寺，寺中的山门、大殿、藏经楼依着山势分别建在几层台地的中轴线上，轴线两侧分别有钟楼、鼓楼和四周的廊屋，这些殿堂都具有南方建筑的风格，尤其表现在屋顶的形态上，屋檐弯成一条连续的曲线，四个屋角高高地翘起直指苍天，它们和高低错落的廊屋组织在一起，看上去远不如北方寺庙屋顶的组合那么有秩序和规则，显得有点随意，但却有一种活泼而灵巧的风格。

综观以上所介绍的各种屋顶组合的形式，从中可以看到一些什么现象呢？首先决定屋顶及其组合形式的重要因素是建筑的类型。皇家的宫殿建筑和乡间的民宅，它们的屋顶形式差别当然很大，无论紫禁城、皇帝陵墓，还是皇家园林，都是一片黄琉璃瓦构成的屋顶组合。而在乡间，即使是山西有钱人晋商的王家大院、乔家大院，也只能见到由灰砖、灰瓦构成的屋顶组合。其次，屋顶组合形式的地域性也比较明显。这种地域性一方面表现在封建礼制约束程度的不同；另一方面是由于各地在自然地理、建筑材料与施工技

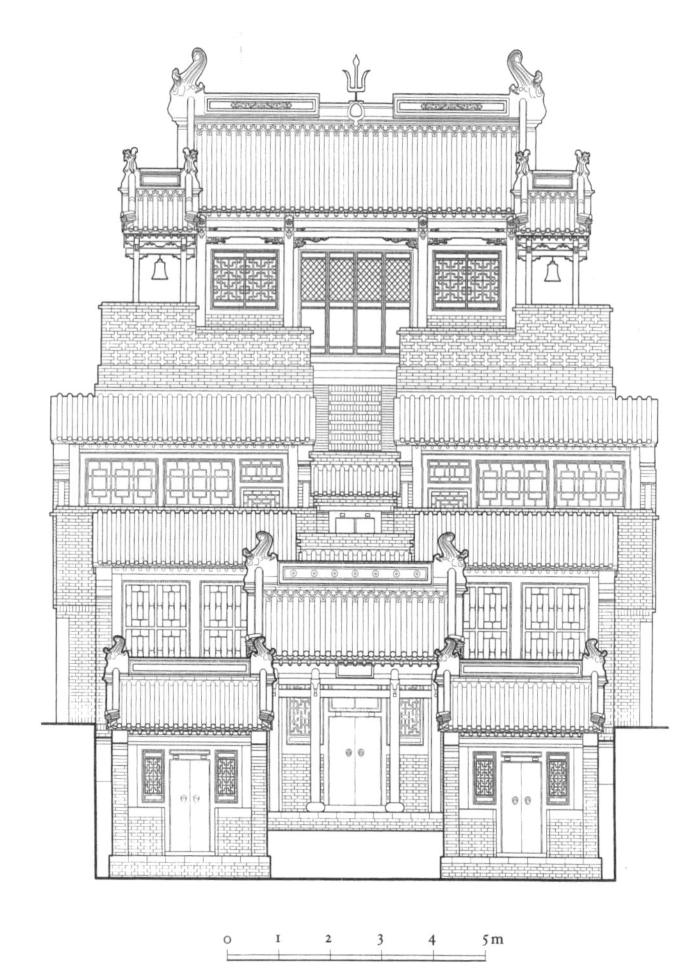

图312 河北蔚县北方城真武庙群组立面图

图313 云南宾川祝圣寺建筑群

术、地域文化等等方面存在着相异的情况。封建礼制的核心是等级制，这种等级制在建筑领域表现得很明显，从房屋大小、台基高低、屋顶形式到大门上的装饰、屋顶上的用瓦都有明确的规定，按不同人使用的建筑制定出不同的标准。所以在北京除皇家的宫殿、陵墓、园林、寺庙之外，都看不到用黄琉璃瓦的屋顶，也看不到庑殿式屋顶，更见不到在屋顶上有龙的装饰，就是在皇族使用的王府里也不例外。但是这种禁令到各地方就并不一定能够得到严格的遵守。我们在各地的寺庙，甚至会馆、祠堂等比较讲究一些的建筑上同样可以见到黄色琉璃瓦，可以见到龙的装饰，这种现象越是到小县城，甚至是农村越常见。中国地域辽阔，各地的地理环境、建造房屋的材料、人力等方面的资源也各不相同，地域的、民族的文化各具特色，加以封建社会的封闭性，促使各地形成了互有差异的地域建筑风格，例如在造型上，北方建筑的稳重和南方建筑的轻快；在装修装饰上，北方建筑的凝重和南方建筑的灵巧，等等。这种风格往往也会很明显地表现在屋顶的形式和装饰上。正是由于这种种原因，才使我们看到各地、各类建筑那样丰富多样的屋顶组合形式。

图315 河北承德普陀宗乘之庙建筑群屋顶

图314 甘肃敦煌莫高窟壁画上的唐代佛寺屋顶图

图318 山西临县西湾村墓碑群屋顶

图319 新疆喀什哈斯哈吉甫陵屋顶

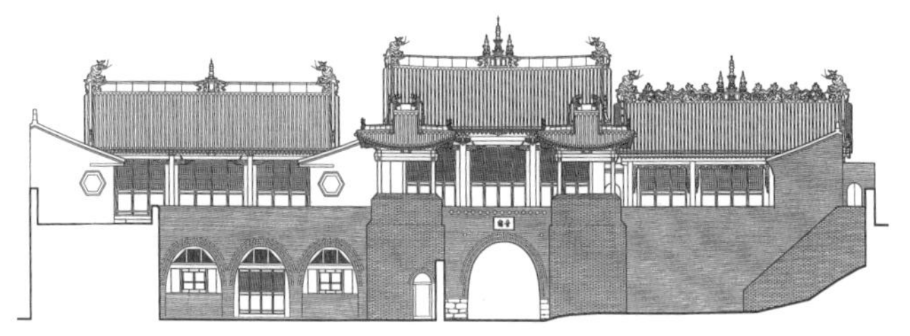

图316 山西介休张壁村寺庙建筑群屋顶图

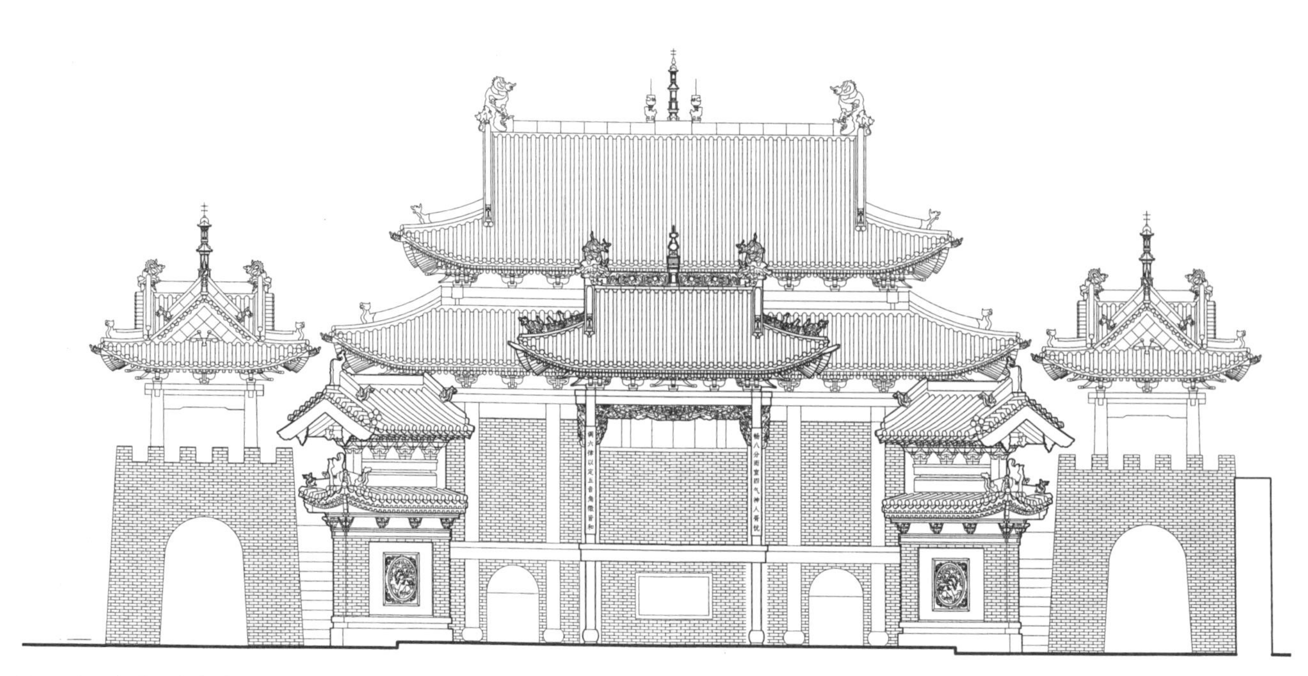

图317 山西介休后土庙建筑群图

现在我们将目光从建筑群体屋顶的组合转向单幢建筑上多座屋顶的组合。中国古代建筑的形体大多比较简单，外形多呈规整的长方形而少变化，但是在少数建筑上，例如建在江边或山头的楼阁，建于园林的亭榭，为了增强它们的观赏性和与四周环境的协调，往往将形象塑造得比较复杂而有变化。

黄鹤楼与滕王阁是中国古代十分著名的楼阁，它们分别建立在湖北武昌长江之滨的蛇山上和江西南昌的赣江畔，登高楼近观江水滔滔，远眺青山原野尽收眼底，自古以来，多少文人墨客在这里尽抒情怀，咏诗作画，为后人留下了不朽的诗篇与画卷。这样的楼阁自然应该具有不寻常的形象，在宋代绘画《黄鹤楼图》和《滕王阁图》中所表现的，它们都是方形或长形的厅堂，四面连着抱厦，坐落在高台基上，四周有栏杆相围，它们的屋顶都是由中央厅堂的大屋顶和四周抱厦的小屋顶组合而成，多用歇山式，山花为悬山，钉有搏风板和悬鱼、惹草装饰，屋顶四面屋檐成曲线，四角翘起很高；屋顶正吻的形象具有很强动态。这些造型都使两座名楼具有南方建筑的风格特征。可以明显地看到，在两座名楼的形象塑造中，屋顶的造型与组合起着十分重要的作用。黄鹤楼与滕王阁在历史的长河中，多次被毁又多次重建，遗憾的是历史上的楼、阁没有留存下来，今日我们见到的一楼一阁都是今人在原址上按原来楼阁的形象与意境重新设计和建造的。但是在河北承德的普宁寺中至今还留存下来一座清乾隆时期建造的佛殿大乘阁，这是一座专门供奉观音菩萨的佛殿。殿内有一座高达22.28米的木雕千手千眼观音像，因此大殿采用了楼阁的形式。楼内设三层，但中央部分贯通上下，以供奉高大的观音像，外观却为5层，底层面阔七开间，宽达25米，自第三层面宽逐级缩小，至第四层五开间也有17余米宽，如果在这么宽的房屋上建造屋顶则势必体量大而且也会显得笨重。在这里，工匠把硕大的屋顶一分为五，成为中央大、四角小的五座四方攒尖屋顶的组合，如此一来，屋顶变轻了，形象丰富而有变化了。工匠还把这五座攒尖顶中央的宝顶做得特别瘦而高，

图320 宋画《黄鹤楼图》

图321 宋画《滕王阁图》

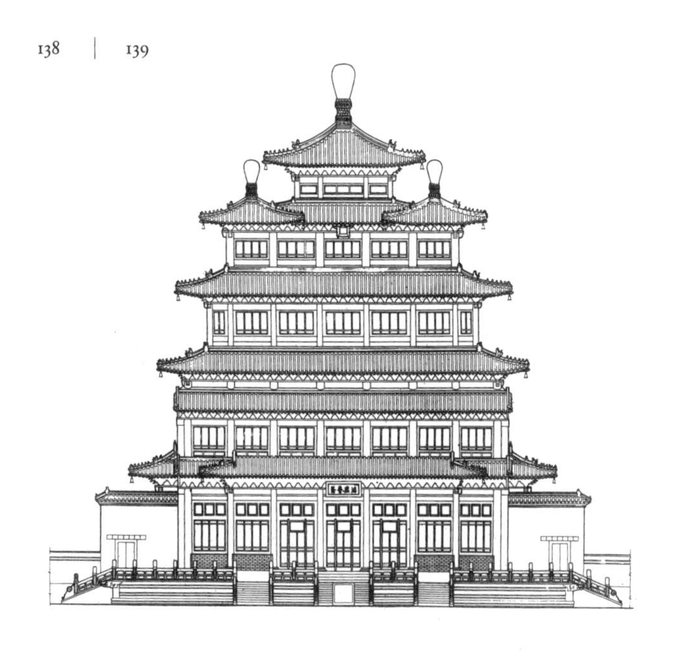

图322 河北承德普宁寺大乘阁立面

图323 大乘阁屋顶

图324 广西龙胜农村侗寨廊桥

从而使这座大乘阁更显高耸。

并不是只有在体量很大的建筑上才能出现这种多座屋顶的组合，在一些体量并不很大的桥、牌楼上也能见到这种屋顶的组合。在广西、贵州等地区侗族聚居地常见到一种带屋顶的木桥，桥本来是架在江、河上供人来往通行的，但在这里，百姓除了在桥上通行之外，还喜欢在桥上休息、聊天，有的甚至在桥上供上菩萨、神仙像供百姓祭拜。在不少乡村里，这种桥多位于村口，它们成了村民平日交往的中心。于是，一座普通桥的功能增加了，桥的形式也相应的丰富了，桥上两边的栏杆下设有座椅，人们可凭栏而坐，一面观赏江河之景，一面谈天说地。桥上都有屋顶，村民在桥上可以避雨雪。桥上屋顶多用悬山形式。为了加强桥的形象表现力，在桥的中心部分还将屋顶加高，像侗族乡村所特有的鼓楼形式一样做成多层的屋檐相重叠，顶端以攒尖宝顶作结束。这样的屋顶在比较长的桥上还不只一座，视桥的长短而定，它们的形式有方形，有多角形，它们的高度和屋檐的层次也根据桥的整体造型而定。这种桥在当地称为“廊桥”或“风雨桥”。古代聪明的工匠完全用木料拼接出跨河的桥身，搭建出多彩的屋顶，它们以奇异的造型点缀着江山，成为侗乡山寨的一道特殊的风景。

牌楼是一种标志性和纪念性建筑，它们屹立在街头或重要建筑群体的前沿成为地域和入口的标志；它们为纪念某人、某事而被竖立于城乡各地以昭示后人。因此，牌楼的形象一向受到重视。牌楼由牌楼身和牌楼顶两部分组成，地上立柱，柱上架横梁，梁上安屋顶而组成。牌楼都是单数开间，最简单的是两柱一开间，大多数为四柱三开间，在现存的古代牌楼

图325 北京颐和园仁寿门牌楼（二柱一开间一顶）

图326 辽宁沈阳故宫前牌楼（四柱三开间三顶）

图327 广东佛山祖庙内牌楼（四柱三开间四顶）

中，六柱五开间是最大的了。牌楼的大小根据开间多少和开间的宽度而定，开间数越多，开间的宽度越大，牌楼的体量也越大。牌楼的屋顶原则上应该是一个开间一个顶，但是为了牌楼的造型，有时特别增加屋顶数。两柱一开间的牌楼顶上不是一个屋顶，而增加至三个屋顶，四柱三开间的牌楼上不只有三个屋顶，而增至五个屋顶，甚至多至七个屋顶，在这些牌楼上，屋顶成为造型的重要手段了。除了牌楼屋顶的个数外，它的形态塑造也很重要。北京颐和园万寿山中央宫殿建筑群中有云辉玉宇、众香界和五方阁三座牌楼，它们分别为木牌楼、琉璃牌楼和石牌楼，都是四柱三开间。除五方阁石牌楼为三个屋顶之外，其余两座都是七个屋顶，即三个开间顶上三个主要屋顶外，又加了四个小屋顶夹在大屋顶之下。这些屋顶的形式都是横梁上有一层斗栱，斗栱上架着屋顶，顶上筒瓦扣覆，有的用庑殿顶，有的用歇山顶，简洁的正脊，两端有龙头正吻，戗脊上有小兽作装饰。尽管众香界为琉璃牌楼，五方阁牌楼为石结构，但它们都完全模仿了木结构，用琉璃砖瓦和石料做出木结构和木装饰的形式。这些屋顶出檐都不远，檐口平缓，四角起翘不大，总体风格严谨而稳重，表现出宫殿建筑应有的形态。在江南安徽、四川城乡的路口、房前也常见有纪念性或标志性的石造牌楼，四柱三开间，头上顶着五个屋顶，它们也都模仿木结构的形式，用石料制成斗栱，或庑殿或歇山式的屋顶，顶上有正脊和正吻。值得注意的是，这些屋顶也完全模仿南方民间建筑的风格，屋檐四个角高高地翘起，正脊中央添加了装饰，两头正吻也用了鳌鱼和卷草的形式。石头的牌楼也造出了活泼的形象，使它们完全融和于四周江南建筑群体之中。屋顶的形态与组合也成为塑造牌楼形象的重要手段。

图328 北京雍和宫牌楼（四柱三开间七顶）

图329 北京颐和园云辉玉宇木牌楼

图333 安徽农村牌楼屋顶装饰

图330 颐和园众香界琉璃牌楼图

图331 颐和园五方阁石牌楼图

图332 重庆云阳石牌楼图

图334 安徽黟县西递村石牌楼

现在我们再把目光从单幢建筑上多座屋顶的组合转向单幢建筑上一座屋顶的组合造型上。当一幢建筑的屋顶体量特别大，或者需要将屋顶作为特殊的造型手段时，屋顶的形象塑造必然受到特别的重视。云南西双版纳傣族的南传佛教寺院的大殿，由于供奉的佛像都比较高大，因而屋顶体量很大，为了避免硕大屋顶的笨拙感，多将屋顶分为上下和左右若干片，相互之间有一个高差，这样一来，既保持了屋顶的总体形象，又大大减轻了屋顶的沉重感。另一种方式是把硕大的屋顶分解为若干歇山式小屋顶的重叠组合，极大地增添了屋顶的观赏性。这种重叠组合的造型在紫禁城的角楼和云南西双版纳果真佛寺经堂上表现得最充分。北京紫禁城城墙的四个角上各建有一座角楼，它们具有瞭望和守城的功能。如果隔着护城河远望紫禁城，看到的是连绵不断的城墙和突出在墙上的角楼；如果伫立城墙下，抬头可以看到一座造型华贵的角楼竖立于高大的灰砖城墙之上，形象十分鲜明。而这种鲜明形象的构成主要归功于角楼的屋顶。角楼平面呈十字形，单层的屋身也不高，主要在于屋顶的处理，中心为十字交叉的单檐歇山顶，四面为重檐歇山顶，它们上下两层组合在一起共有10面山花，28个翼角和72条屋脊，仿佛是一束富丽的花朵，分踞于紫禁城的四角，在护城河的衬映下，成了宫城富有特色的标志。

西双版纳果真佛寺规模并不很大，主要由一座佛殿和一座经堂组成。经堂平面呈十字形，单层并不高，它的屋顶分解为八个面，每面垂直方向又分作10

图335 云南西双版纳佛寺大殿屋顶（1）

图335 云南西双版纳佛寺大殿屋顶（2）

图335 云南西双版纳佛寺大殿屋顶（3）

图335 云南西双版纳佛寺大殿屋顶（4）

图336 西双版纳佛寺大殿屋顶（1）

图336 西双版纳佛寺大殿屋顶（2）

图337 北京紫禁城角楼远视

图339 紫禁城角楼

图338 紫禁城角楼仰视

图340紫禁城角楼夜景

层悬山顶，由大到小，由下至上，到顶端汇集成一点。所以屋顶成八角攒尖形，共有80个悬山山花，240条屋脊，加上每一个山花上都有搏风板和板上的小花板，每条脊上都满排着花叶状小装饰，把整座屋顶打扮得如同美丽的花朵，经堂也因此被称为“八角楼”。这样的屋顶做法在泰国的佛寺上可经常见到，表现出南传佛教建筑在形态上具有的共同性。

北方有宫殿的角楼，南方有佛寺的经堂，角楼有瞭望和守卫功能，经堂为僧人诵经学习场所，但是如今在它们原有的物质功能之外又具有了装饰性的、标志性的艺术功能，甚至这种艺术功能还超过了原有的物质功能。而艺术功能的取得恰恰是来源于这两座建筑屋顶的造型，从这里可以看到屋顶在塑造建筑艺术形象中所具有的重要地位。

图342 果真佛寺经堂屋顶

图341 云南西双版纳果真佛寺经堂

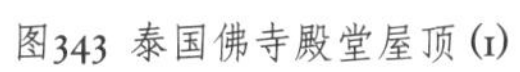
图343 泰国佛寺殿堂屋顶(1)

图343 泰国佛寺殿堂屋顶(2)

装饰规律

在前面的章节中，我们看到了屋顶从整体到各个构件的形象，从这些形象中可以发现一个现象，就是它们原本都是有功能的构件，经过工匠的加工都赋予了美的形态，继而发展成为一种装饰。屋面相交而成屋脊，用砖、瓦扣砌在脊上，做出不同线脚与花纹而成为一条花脊；数条屋脊相交而生节点，这些节点经美化而成为各种形式的正吻与宝顶；保护屋檐的瓦头经加工而成了有艺术表现力的瓦当与滴水；固定筒瓦的瓦钉被塑造成各种小兽；如此等等。这些现象向人们揭示出一种古代建筑装饰产生与发展的规律，为了清楚地认识这种规律，现在选择屋顶上正吻这个构件作进一步的分析。

正吻位于房屋正脊的两端，它是正脊与垂脊，或正脊与戗脊的交汇点，在两面坡和四面坡的屋顶上都能见到。在早期汉代的陶屋上就能看到这种节点，它突出于中央正脊与四面戗脊的交汇处，但还看不出是什么动物、植物或器物的形象。但是在同一时期的汉代画像石、画像砖和明器上看到这种节点变成了鸟形，有的在正脊的中央也立着鸟和凤，凤凰也属鸟类，但它属于人类创造的一种神鸟，古人称之为百鸟之首。这个现象不是偶然的，因为在春秋、战国和秦、汉时期，生活在中国大地的人群中比较广泛地存在着鸟图腾，所谓图腾就是一个群居聚落共同信仰的一种标志，它代表着人群心目中的神，受到大众的崇敬。这种图腾形象多被放在显著之处以便受到人们的敬仰，有的专门把图腾放在柱子上，立在聚落中心，称为“图腾柱”，成了聚落的标志。这种图腾柱在西南一些少数民族地区的乡村里至今仍可见到。古人把自己信仰的图腾形象放在房屋的最高处，自然能起到敬仰和宣扬的作用。

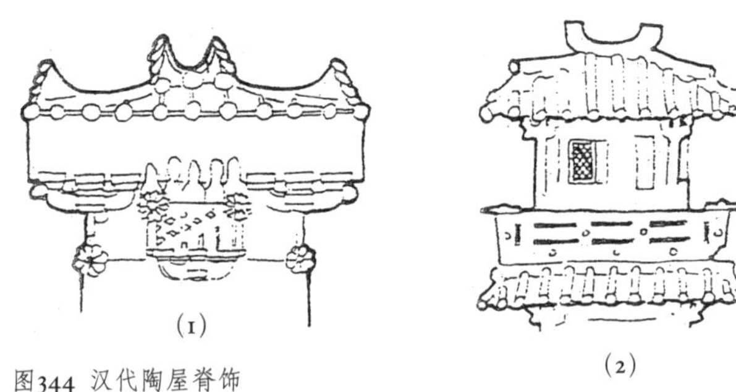
(1) (2)

图344 汉代陶屋脊饰
1.四川忠县涂井出土蜀汉陶屋 2.哈佛大学图书馆藏东汉陶屋

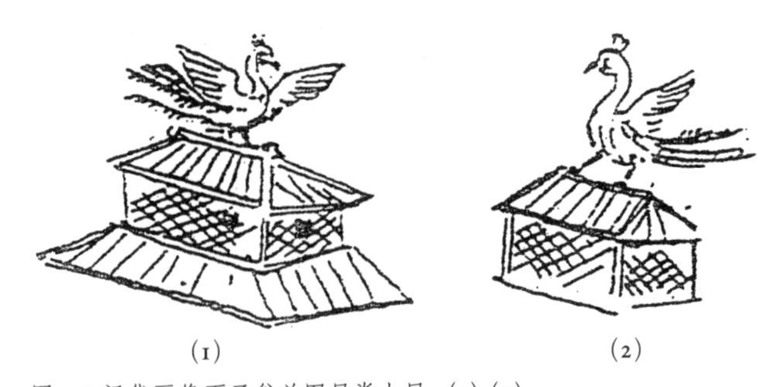
(1) (2)

图345 汉代画像石函谷关图屋脊上凤 (1)(2)

西汉太初元年（公元前104年），柏梁台宫殿被火烧毁，据《汉记》载：“柏梁殿灾后，越巫言海中有鱼虬，尾似鸱，激浪即降雨，遂作其象于屋，以厌火祥”（《营造法式》）。中国古代建筑除地下墓室之外，地面上建筑绝大部分皆为木结构，它们的优点是木料从采集、运输到施工都比砖、石方便，同时木料的搭接皆用榫卯，属柔性连接，比较能够抵御像地震这样的突击力量的破坏。但是木结构的缺点是怕火、潮湿与病虫害，尤其是火灾，历史上多少宏伟的宫殿、寺庙都毁于火，使中国早期建筑很少能够留存到现在。由于宫殿、寺庙等类建筑多体量高大，容易受到天上雷击而导致火灾，较长时期以来，古人对雷击现象缺乏科学的认识，也没有能提出有效的防止办法。所以西汉柏梁殿被火烧毁后，只能听信巫术之言，把海中的鱼虬做成模型放在房屋的最高处，即正脊两头正吻的位置以起到灭火的作用。鱼虬是何物？古称虬为无角之龙，龙为中华民族的图腾，龙的起源至今在学术界仍众说纷纭，但有一点是一致的，即现在我们所见龙的形象已非生物界的某种兽类，而是古人创造的一种神兽，这种神兽生于水，居于水下龙宫，具有无比神力，人间久旱不雨则求神龙赐雨，或暴雨成灾，乃因龙王发怒所致，则求神龙息怒免灾，总之龙与水相连，所以它形似鸱的尾巴一激浪就能降雨以灭火。鸱为传说中的一种怪鸟，其形也不清楚，所以《汉记》中所说尾似鸱的鱼虬形象只能从留存下来的古建筑屋顶上去寻找。山西五台佛光寺大殿建于唐大中11年（公元857年），殿顶上的正吻虽疑为后代重制，但仍保持着唐代形制。它的形象为一龙头，张嘴吞衔着正脊，龙头之上做成向内翻卷的尾部，表面上有隐起的小龙纹，外沿有一圈鱼鳍，这种由龙头、

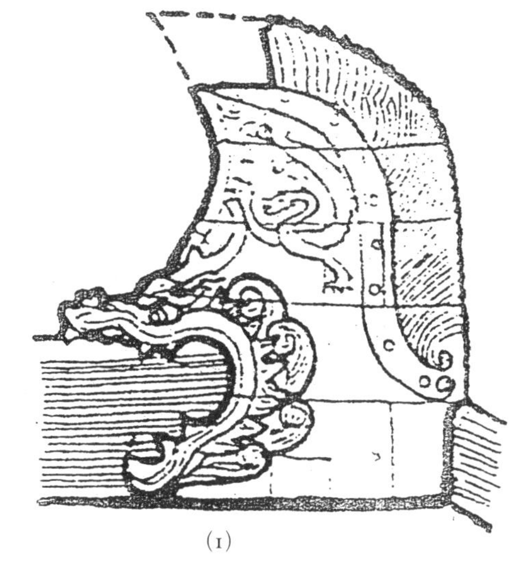

(1)

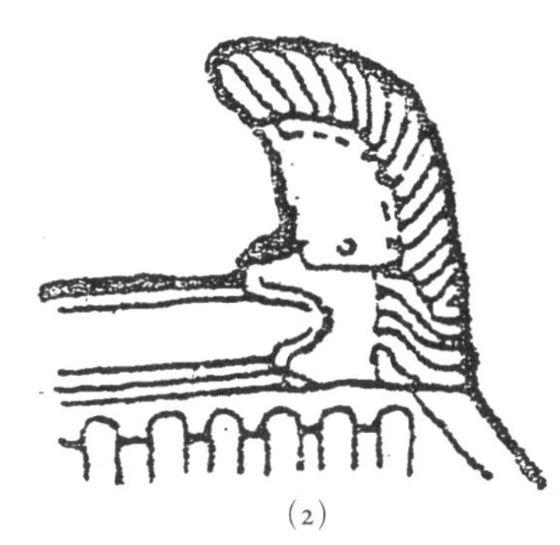

(2)

图346 唐代鸱吻的形象：
1.山西五台山佛光寺大殿鸱吻
2.四川乐山凌云寺石刻中鸱吻

龙尾和鱼鳍组成的形象应该是后人创作的尾似鸱能激浪的鱼虬样子了。在四川乐山凌云寺石刻中见到中唐时期的屋顶正吻同样也是这种形象，这种整体形象比较简洁规整的正吻可能是那个时期比较通行的一种形式，因为它的特征是"尾似鸱"的鱼虬，所以称之为"鸱尾"，又因为虬龙张着大嘴衔着屋脊，所以也称为"鸱吻"。

在唐之后的宋、辽、金时期的一些北方寺庙屋

顶上可以见到更多这种鸱吻的形象。天津蓟县独乐寺山门顶上鸱吻和山西大同华严寺薄伽教藏殿上鸱吻形象都与佛光寺大殿的相似，龙头张嘴衔脊，龙尾向内翻卷，外形较方整，外沿有鱼鳍，只是吻的表面多了鱼鳞。山西榆次永寿寺雨花宫和山西大同下华严寺壁藏的两边鸱吻仍是这样的造型，不过整体被拉长而成瘦长形，吻身满布鱼鳞，尾部呈鱼尾形了。元、明、清时代殿堂上的鸱吻形象虽说仍以龙头和龙尾相结合，吻身仍有鳞纹，但与前代不同的是，吻尾向内卷后至顶端，又向外翻卷，这样的变化，应该是一个历史的渐变过程，并不是某两个朝代之间的严格区别。鸱吻发展至清代，在北京紫禁城

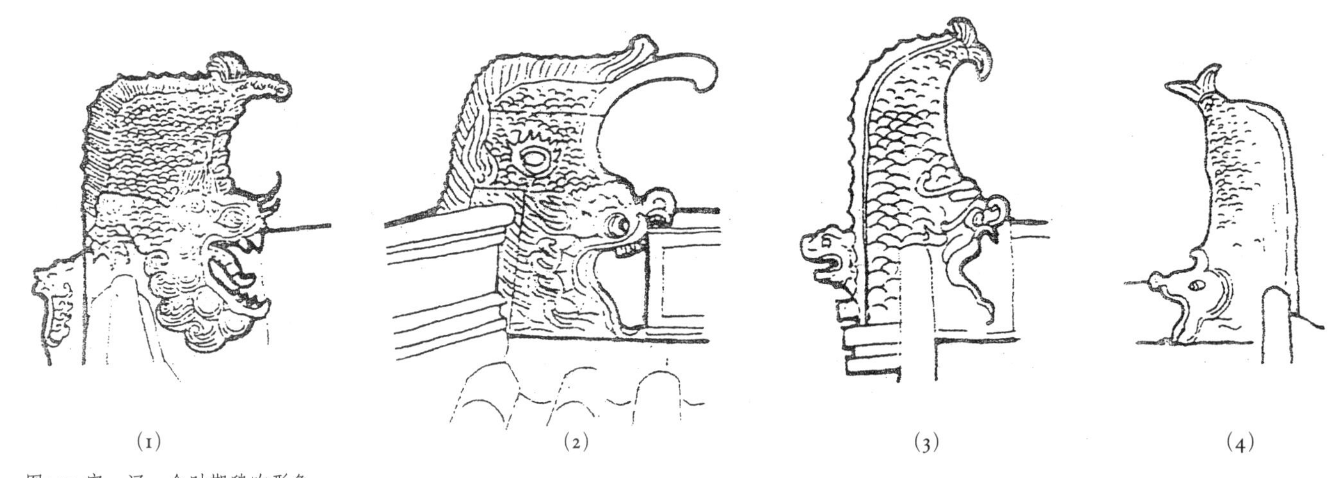

图347 宋、辽、金时期鸱吻形象
1.山西大同华严寺薄伽教藏殿鸱吻　2.天津蓟县独乐寺山门鸱吻　3.山西大同下华严寺壁藏鸱吻　4.山西榆次永寿寺雨花宫鸱吻

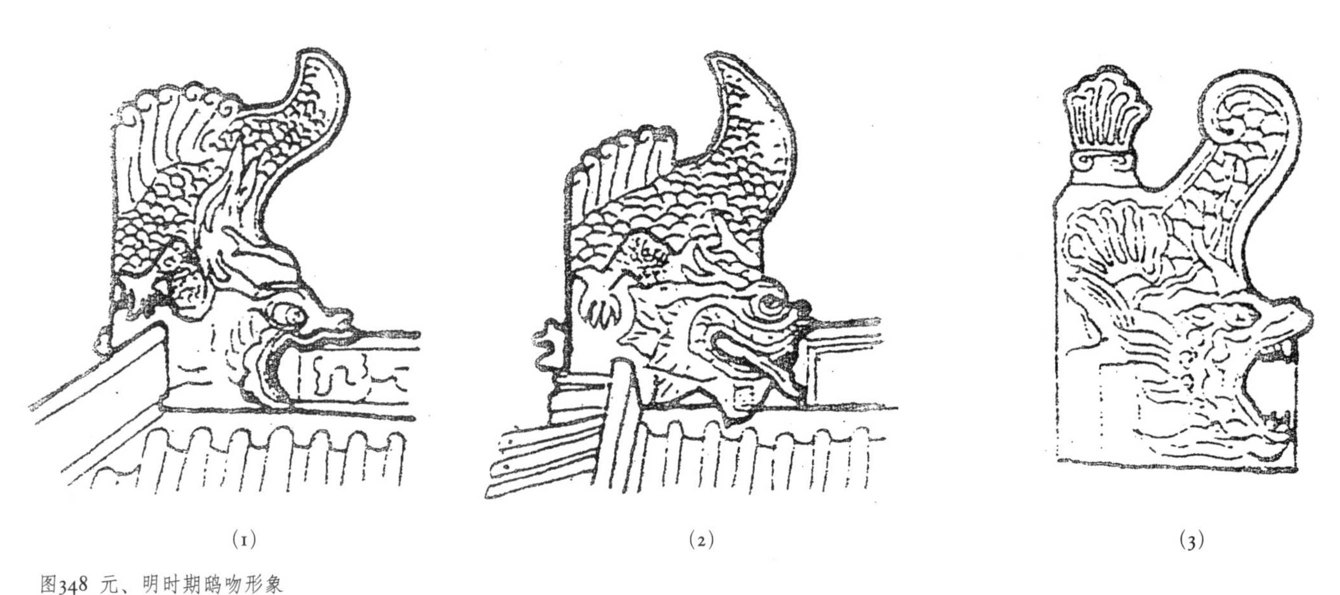

图348 元、明时期鸱吻形象
1.河北曲阳北岳庙德宁殿鸱吻（元代）　2.四川峨眉飞来殿鸱吻（元代）　3.北京智化寺万佛阁鸱吻（明代）

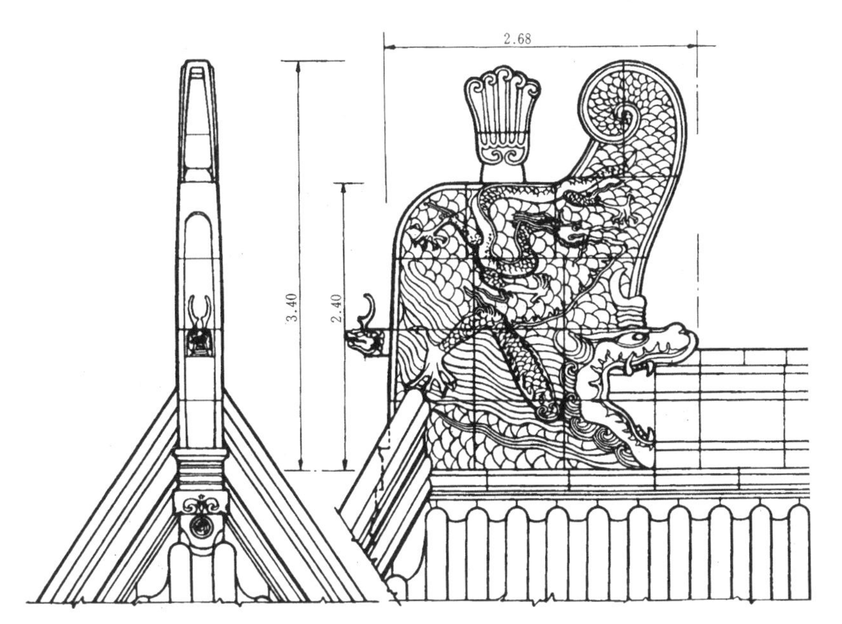

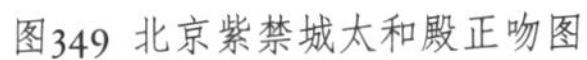
图349 北京紫禁城太和殿正吻图

图350 紫禁城宫殿正吻

宫殿上的正吻应该算是这一时期最正统的式样。整体略呈方形，龙头为主体，龙嘴大张，龙尾向上，尾端向外翻卷，吻身上有小龙和鳞纹装饰，吻背上有剑靶插入，吻后有小背兽头。从前三朝的大殿到后宫的寝殿，屋顶上的正吻莫不如此，因为它以龙体为主，所以也称为龙吻，但它又不具有神龙的完整形象，所以在以龙象征皇帝的紫禁城里，这种龙吻只能称为“龙子”，并赋以专门的名字为“螭吻”，又因它身居屋顶，便于瞭望，又张嘴吞脊，因此又赋予这位龙子好望好吞的性格。

图351 江西婺源农村住宅大门屋脊上鳌鱼图

图352 浙江武义郭洞村戏台屋脊图

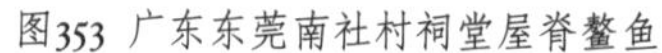

图353 广东东莞南社村祠堂屋脊鳌鱼

图354 山西农村住宅屋脊鸱吻

图356 山西介休张壁村空王殿正吻

在我国南北城乡各地的各类建筑上还见到一种鱼形的正吻。一条造型完整的鱼，头向下，尾朝上倒立在正脊两端：鱼嘴有的大张吞咬着屋脊，有的微张叼着脊尖；鱼身满布鱼鳞；鱼尾之鳍左右分开，仿佛在水中摆动，增添了鱼体的动态。有些地区将这类鱼称为鳌鱼，鳌传说为海中大龟，龟为水生动物，与龙、虎、朱雀并列为四神兽之一，如今将屋顶之鱼称为鳌鱼，自然带有神圣之意，同时更有灭火消灾的象征意义。

如果将眼光投向更广阔的民间建筑上，那么我们可以看到更为多样的正吻。从唐代至清代建筑上常用的鸱吻形象在各地民间建筑上有广泛而长久的影响，可以说有许多正吻的形象都是由此而衍生和发展出来的。山西、河北城乡一些寺庙的正吻也是用琉璃烧制出龙头加龙尾的形态，但是这里的龙尾已经变成整条龙蜷曲在龙头上，凌空向前瞭望，因而鸱尾的整体

图355 山西、河北城乡建筑上鸱吻图

图357 寺庙屋脊上的龙吻

图358 福建南靖塔下村家庙屋脊上龙吻

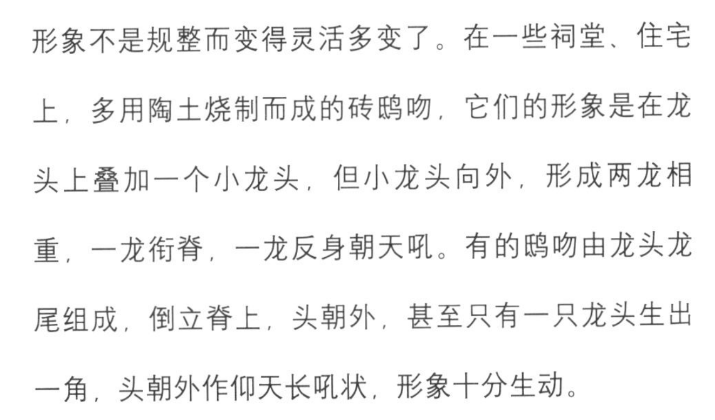

形象不是规整而变得灵活多变了。在一些祠堂、住宅上，多用陶土烧制而成的砖鸱吻，它们的形象是在龙头上叠加一个小龙头，但小龙头向外，形成两龙相重，一龙衔脊，一龙反身朝天吼。有的鸱吻由龙头龙尾组成，倒立脊上，头朝外，甚至只有一只龙头生出一角，头朝外作仰天长吼状，形象十分生动。

有的寺庙、祠堂，它们干脆脱离了传统的龙头龙尾形象，完全由一条龙的整体做成鸱吻。一条神龙，有头有身有尾，它蜷伏在屋脊两头，头向内作行进状，龙嘴微张，两根长长的龙须向前探出，增添了龙体的动态。在福建塔下村张氏家庙屋顶上的鸱吻是站立在屋脊两端的两条龙，它们仰着头，蜷着身，身下托着白云，龙尾翘向天空，龙足伸张，在屋脊上翩翩起舞，家庙屋顶两重檐，上下两条屋脊，两端共4个鸱吻，形成四龙对相起舞，充分展示了民间工匠的智慧与创造性。

在广东地区的一些寺庙、祠堂里，常见到在屋

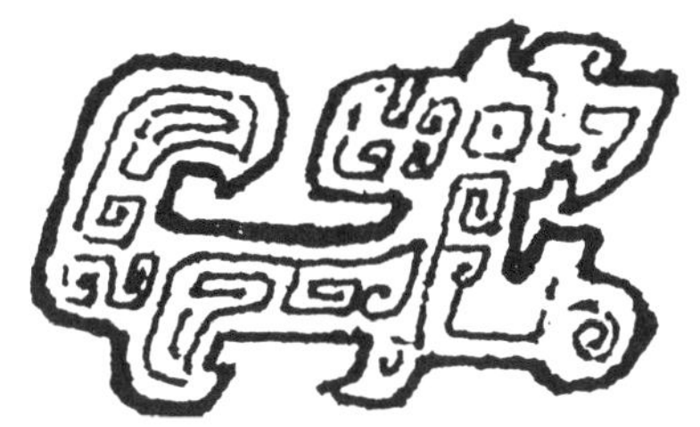

图359 青铜器上的夔纹与夔龙纹

图360 广东东莞南社村祠堂屋脊夔形正吻（1）（2）（3）

顶鸱吻的位置有一种回纹形状的装饰，当地称它们为“夔纹”。在《山海经·大荒东经》中记：“有兽，状如牛，苍身而无角，一足，名曰夔”。夔纹早期见于青铜器上，但已经是很简化和图案化了，它的特点是头不大，其身曲折如回纹。常见夔纹与龙头结合而成“夔龙”，也是青铜器上常见的纹样，尽管已经看不

图361 南社村祠堂屋脊图

出“状如牛，苍身而无角”的形象，但仍是一种具有神圣意义的兽类纹样。广东地区的粤人自古崇蛇，以蛇、龙为图腾，所以常以这种夔纹作为装饰，它不但具有象征意义，而且夔纹曲折自由，适用于各种构件之上，有用夔纹作梁架的，也有将夔纹用在屋脊上作装饰。夔龙纹可以自行组合，也可以与元宝等其他题材组合而成鸱吻，造型比较自由，没有固定的式样。同样是用神龙作为鸱吻的主体，有的用龙头龙尾的组合，有的用整条龙，有的用程序化了的夔龙纹，它们所塑造的鸱吻形象互不相同，甚至有极大的差别。

以上列举了各地各类建筑上不同的正吻形象，其实在幅员辽阔的中国，尤其深入到乡村，还可以看到形式更加多样的正吻。现在有条件来分析一下，从屋顶上一个简单的节点怎样发展而形成如此丰富多彩的正吻呢？从它们的发展中是否显示出建筑上装饰产生与形成的一般规律呢？

房屋在建造过程中，从木料、石料到砖、瓦、灰、砂等各种材料都要通过工匠的加工而成为房屋的各种构件，就以屋面这一部分来看，工匠要把一片片的瓦由下到上很整齐地铺在屋面上，遇到两面相交的脊和数条脊相交的节点，工匠要用泥灰护封在脊背和节点上，并且要用手和工具把泥灰的表面抹平抹光。这样的加工一方面是因为屋面防雨雪和排水的需要，同时也会带给人们一种秩序感和完整感，从广义的美学来说，这种秩序和完整也是一种朴素的美感。所以也可以说，工匠在劳动中是自觉或不自觉地按美的法则来进行加工的。

我国新石器时代的陶器已经成为百姓的日常生活用品，圆形的碗、盆、罐不但具有完整而匀称的外形，而且陶器上还出现了水波、花叶、鱼、蛙等植物、动物的纹样，这些都是当时人类生活所必需并给人们带来欢娱的物类，在这里也表现出了人类对生活的一种爱。这种现象说明人们在劳动创造中，不仅需要简单的形式美，而且还需要用人们所熟悉所喜爱的物类来丰富和充实这种美。早期古陶器上的花叶还分不出植物的品种，陶器上的鱼还没有相关的人文

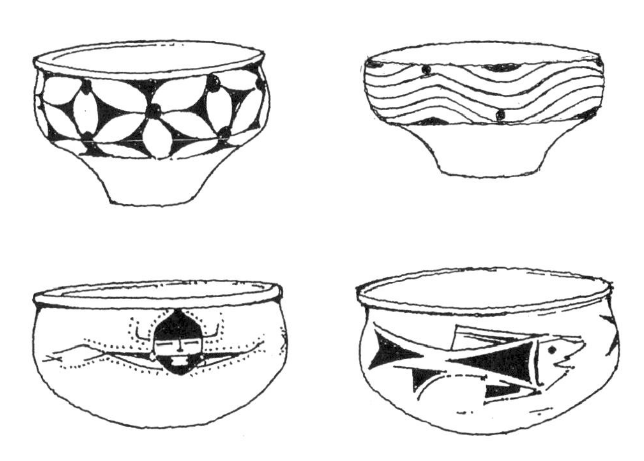

图362 陶器上的花叶、人面、水波、鱼纹

内涵，但是随着时间的推移和人类生活的发展，应用在器皿上的装饰花叶形象更为多样了，可以区分出牡丹、莲荷、兰、菊等等不同的品种了，并且还根据它们的生态特征分别赋予了不同的人文内涵，例如牡丹象征富贵，莲荷寓意廉洁，兰、菊表示清幽等等。作为人们常见、常食用的鱼也被人们赋以越来越多的寓意：鱼产仔，多子多福；鱼谐音余，富富有余；古代神话鲤鱼跳龙门而成仙，示意凡人经过修炼而能成为圣人；等等。于是这些具有象征意义的各种花卉和鱼类出现在瓷器、陶器、纺织品、木、石雕刻品上，它们成了广泛使用的装饰题材。这种现象也同样表现在屋顶正吻的发展过程中。原来是一个房屋结构上的构件，经工匠之手将它做得比较规整而具有简单的形式之美；为了防止火灾，把它们做成海中鱼虬的形式；通过各地工匠的创造出现了多种多样的鱼虬并且由鸱

吻发展成为龙吻，从而使一个结构构件变成为具有人文内涵的装饰构件。屋顶上的正吻是这样，房屋的其他不少构件也是这样。以最常见的建筑大门为例，古建筑大门由木板左右拼合而成门扇，早期的门扇采用在门板后面加横向腰串木，再用铁钉将木板和腰串木钉在一起而成板门，所以在门扇正面会留下一排排钉在腰串木上的钉头，称谓"门钉"。这些排列整齐有序的门钉具有一定的形式美因而成了大门上的装饰。后来技术进步了，大门木板不需要用腰串木、铁钉而直接用榫卯就能够拼合在一起了，但是这时的门钉已经成了装饰而被留在门板上，只是它们不是铁钉头而是用木料制造的圆钉形的装饰。为了使这些装饰更有意义，人们进而想出了用门钉的个数与色彩来表现封建礼制的等级思想。大门上的门钉数越多，色彩越艳，说明建筑的等级越高，紫禁城皇家宫殿大门是红门扇、金色门钉，纵横各九行、九路共有81枚门钉，这是最高等级的大门。从门钉数讲：九行九路到七行七路、五行五路 到不用门钉；从色彩上讲：红门金钉到绿门铁钉，到黑门铁钉；由高到低，等级分明。由一种结构上必需的铁钉发展到完全失去结构作用，由木料制作的装饰钉头，这就是大门门钉装饰的形成与发展过程。

通过屋顶正吻和大门门钉的例子，我们可以看到建筑装饰的一般发展规律：房屋上有物质功能的构件——经过工匠的制作加工使它们具有美的形式——用人们熟悉的物类形象装饰构件——对各种形象赋予相应的人文内涵——有的构件失去了原有功能而成为纯粹的装饰构件，它们的形象更不受限制而可以自由创作——由于各地区自然与人文环境的不同而创造出丰富多彩的不同形象。正是经过千百年这样的创作实践，一个遮风避雨的房屋屋顶才会变得如此的多姿多彩，从而使之成为一个极具文化内涵的重要部分。

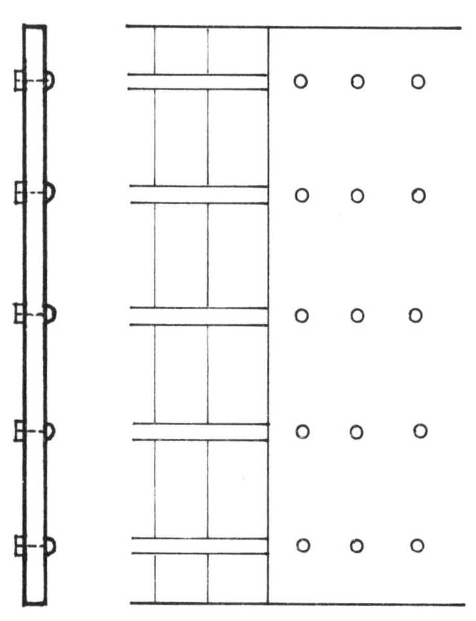
图363 板门构造图

图364 木板门

图365 宫殿建筑的红门金门钉

附录

部分图片来源

图1、2录自《世界建筑史·古希腊卷》，王瑞珠著，中国建筑工业出版社，2003年3月。

图27、28、30、31、32、33、43、48、50、51、61、96、205、222、223、224、241、314、320、321、322录自《中国古代建筑史》刘敦桢主编，中国建筑工业出版社，1984年6月第二版。

图29、49、95、199录自《中国古代建筑史》第一卷，刘叙杰主编，中国建筑工业出版社，2003年7月。

图179、180、181、182、215、216、217录自《中国古代建筑史》第二卷，傅熹年主编，中国建筑工业出版社，2001年12月。

图36、46、135、136、198、306、308、330、331录自《颐和园》，清华大学建筑学院编著，中国建筑工业出版社，2000年8月。

图76、247录自《营造法式注释》，梁思成著，中国建筑工业出版社，1983年9月。

图77、106录自《清式营造则例》，梁思成著，中国建筑工业版社，1981年12月。

图97录自《营造法原》，姚承祖原著，中国建筑工业出版社，1986年8月第二版。

图161、162、163、、164、165、166、167、168、169、170、171、172、173、174、175、176、177、178录自《瓦当汇编》，钱君匋、张星逸、许明农编，上海人民美术出版社，1988年6月。

图6录自《文艺复兴建筑》，[英]彼得·默里著，王贵祥译，中国建筑工业出版社。

图14录自《世界建筑史图集》吴庆洲编，江西科学技术出版社，1999年4月。

图349录自《紫禁城》，第142期，紫禁城出版，2006年10月。

图344、345、346、347、348录自吴庆洲《中国古建筑脊饰的文化渊源》。

图34、37、38、40、45、73、88、89、91、98、99、100、101、102、108、109、112、113、115、116、120、124、125、127、138、139、143、144、151、154、155、156、160、185、211、212、244、255、256、261、262、271、272、273、276、277、278、310、312、316、317、332、351、352、355、361为清华大学建筑学院建筑历史与文物建筑保护研究所乡土建筑组提供。

图148、289、290、291、295录自《西藏古迹》，杨谷生著，中国建筑工业出版社，1984年8月。

图301录自《世界遗产在中国》，国家旅游局编，中国旅游出版社，2006年1月。

图303（2）录自《北京的世界遗产》，中国旅游出版社，2002年11月。

图59、137（2）、287为张振光拍摄。